CB041707

GRUPO ESTRELA

PRESIDENTE Carlos Tilkian

DIRETOR DE MARKETING Aires Fernandes

DIRETOR DE OPERAÇÕES José Gomes

EDITORA ESTRELA CULTURAL

PUBLISHER Beto Junqueyra

EDITORIAL Célia Hirsch

ASSISTENTE EDITORIAL Ana Luíza Bassanetto

ILUSTRAÇÕES Lais de Nuncio

PROJETO GRÁFICO Estúdio Versalete
(Christiane Mello, Fernanda Morais e Karina Lopes)

REVISÃO DE TEXTO Luiz Gustavo Micheletti Bazana

DADOS INTERNACIONAIS DE CATALOGAÇÃO NA PUBLICAÇÃO (CIP)
(CÂMARA BRASILEIRA DO LIVRO, SP, BRASIL)

Bortoleto, Renata
A menina do dia / Renata Bortoleto ; ilustrações de
Lais de Nuncio. – Itapira, SP : Editora Estrela Cultural, 2019.

ISBN 978-85-45559-69-6

1. Adolescentes (Meninas) 2. Ficção – Literatura
infantojuvenil I. Nuncio, Lais de. II. Título.

19-27412 CDD-028.5

ÍNDICES PARA CATÁLOGO SISTEMÁTICO:
1. Ficção: Literatura infantil 028.5
2. Ficção: Literatura infantojuvenil 028.5

MARIA ALICE FERREIRA |
BIBLIOTECÁRIA – CRB-8/7964

1ª edição – Itapira, SP – 2019 – IMPRESSO NO BRASIL

Rua Roupen Tilkian, 375
Bairro Barão Ataliba Nogueira
13986-000 – Itapira – sp
CNPJ: 29.341.467/0001-87
estrelacultural.com.br
estrelacultural@estrela.com.br

A menina do dia

Renata Bortoleto

ILUSTRAÇÕES
Lais de Nuncio

Meus agradecimentos a Clara
Asse Moreira, Helena Asse Moreira
e Murilo Justi Rodrigues, meus
primeiros leitores-editores, que
doaram seu tempo e dedicação para
me ajudar a contar esta história.
E para Roberta Asse e Luciana Justi,
amigas queridas e parceiras na
luta pela arte.

Para Caio e Maria,
amores que iluminam
os meus dias.

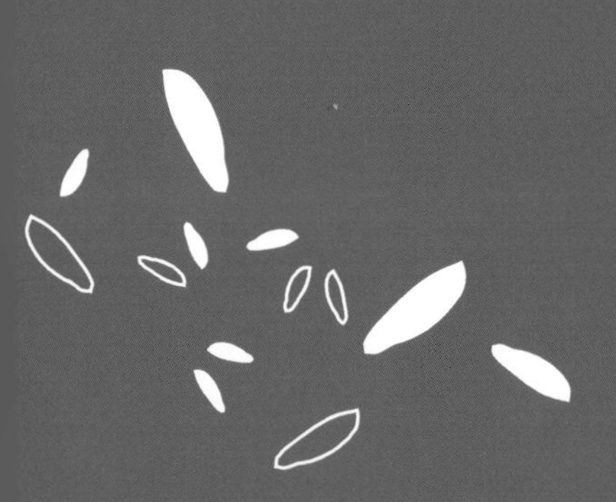

A briga com a insônia e com o espelho

A história de Íris começa às três da madrugada em meio à sua luta diária contra o sono. A garota não gosta da noite, mas ela chega, sempre chega, mesmo contra sua vontade.

A irmã, ao lado, dorme, como nunca viu ninguém dormir. Nada é capaz de fazer a irmã acordar – nem festa de vizinho, nem uivos de cachorros, nem escola de guitarra.

O quarto é de criança, simples, o quarto e as meninas: uma de 6 e a outra de 13 anos. As duas caminhas ficam pertinho uma da outra. Coisa da mãe, uma protege a outra. Têm colchas de renda branca de flores e folhas – umas grandes, outras pequenas, umas bordadas, outras pintadas à mão. Partes das colchas estão rasgadas. É normal. Pelo menos é o que a mãe diz, coisa é coisa e com o tempo estraga, mas o pai não gosta – elas, as coisas, andam pela hora da morte.

Os cobertores e os lençóis cheiram a naftalina e ficam nas gavetas das camas, onde moram as baratinhas. Noite dessas, assim que conseguiu pegar no sono, uma bichana cor de nada saiu para passear na boca dela e levou um safanão. Rebolou-se toda para não terminar daquele jeito que nenhum cascudo gosta, atrapalhado, de barriga para cima e pernas desesperadas, e tratou logo de tomar seu rumo.

Dona Deodora manda para a cama à noite depois da janta, depois da lição de casa, depois de um pouco de televisão, mas não entende por que a mais velha demora tanto para escovar os dentes, pôr o pijama, ir logo se deitar e fechar os olhos de uma vez por todas, santo Deus, se a outra faz tudo tão rapidinho.

A mãe cansa de insistir para dormir logo e larga Íris com seus seres invisíveis, responsáveis pela insônia que a apavora, noite após noite. Para se proteger, ela usa três cobertores, em qualquer estação. O suor quente logo esfria e molha seu corpo. Seus olhos nunca se fecham – sabe exatamente onde a luz da lua e a claridade da manhã rabiscam a porta do armário quando atravessam as frestas da janela.

Durante a madrugada, quando não aguenta mais de pavor, levanta-se lentamente para não despertar a fúria dos fantasmas presentes. Caminha até o banheiro bem devagar, acendendo as luzes mais necessárias, uma por uma, para não correr o risco de acordar a família. Prende a respiração e, lá dentro, tranca a porta.

– Aqui ninguém me encontra.

Sim, encontra. Ela própria. Íris, no espelho, cara a cara, sem escapatória. Olha bem o seu rosto, tentando reconhecer-se num quem é você e como você veio parar aqui que não tem fim. Lembra do dia e dos elogios da professora na aula de matemática, que vive dizendo para diretores, pais e alunos da escola toda que Íris é uma sumidade, que é quando alguém é mais inteligente do que as outras pessoas.

Mas as suas próprias perguntas, ela nunca consegue responder.

Não só porque vive num universo à parte dos meninos e das meninas da escola, aprendeu a não se importar. Sabe agora como colocar o mundo no *mute*. Não ouve mais os sons das torcidas nos campeonatos dos quais nunca participa nem os cochichos exaltados dos grupinhos que se encontram nos corredores na hora do intervalo. Já aceitou seu destino de *nerd* esquisita que vive pelos cantos com suas contas. Não se acha melhor que ninguém. Apenas não se importa. Não mais.

Os assombros chegam de outro lugar. Da internet e da

televisão, por exemplo. Para ela, o mundo entra por estas portas como uma avalanche, um vulcão, um *tsumami* ou um terremoto. Tragédias ou maldades que desmoronam sua vida pacata.

Ontem mesmo, deu no jornal que o pai gosta de ver a notícia de dois homens que pareciam se divertir numa festa popular de uma bonita cidadezinha do interior. Enquanto um comia pipoca, o outro bailava sem parar, mas não deixavam de se encarar. Parecia que se conheciam e que já tinham uma história antes de estarem naquele lugar. Quando o baile acabou e as pessoas foram se dispersando, eles saíram para o lado de fora do reduto, mais afastados, para que ninguém os visse. Um começou a correr atrás do outro com um pedaço de pau na mão. Deram três voltas nas barracas e tendas, feito gato e rato, até o perseguido cair duro no chão. O perseguidor foi preso na hora, minutos depois, quando a polícia chegou. Dois homens adultos vão a uma festa não para curtir, não para brincar nem para relaxar. Dois homens vão a uma festa para matar e morrer. Um morto, o outro preso. Dois homens adultos que, em fração de segundos, simplesmente saem de cena, desaparecem.

Íris não entende a lógica do mundo.

Lava o rosto como se a água fosse trazer sentido. Nariz grande, desproporcional. Boca do pai, olhos do pai, em nada saiu à mãe. Não importa, ninguém repara. Encara o espelho esperando dele suas respostas:

– Como é que pode? Quem determina esse quebra-cabeça todo? Como vim parar aqui, com esse pai, com essa mãe? Quem escolheu essa irmã para mim? Quem diz quem deve nascer no Brasil, quem deve rebentar em Bangladesh? Com quem fica a função de colocar os nascimentos na linha do tempo? Você semana que vem, você daqui a dez anos. Já você pode esperar mais meio século. Tudo muito estranho.

O mundo definitivamente não é uma aula de álgebra.

Precisa dormir para acordar. Detesta assistir às aulas cansada.

Entre um cochilo e outro, sempre escapa algum trecho da matéria ou da explicação da professora e, depois, precisa correr atrás do que perdeu. Até quando isso?

Seca o rosto e olha-se no espelho pela última vez antes de refazer o trajeto. Apaga esta, esta e aquela luz, segurando os interruptores para não assustar ninguém. Retorna pedindo licença para a multidão.

Íris volta para o quarto, dá um último cheiro no cabelinho da irmã. Que inveja tem do conforto e da ignorância da infância. Que saudade do mundo de faz de conta. Parece que foi ontem. Volta para sua cama e envolve-se em seus cobertores. Abraça forte aqueles pedaços de pano como se fossem eles seus salvadores.

Enrola-se em suas fantasias, nas lembranças do dia, nas loucuras da mãe, nos tun-tun-tuns do coração e na esperança de, dessa vez, só dessa vez, não ouvir os sons dessa gente que só se manifesta na escuridão. Nunca viu ninguém de frente, mas que eles existem, existem.

Adormece quando a exaustão vence, quase na hora de acordar. A mãe chama.

Depois de um encontro inusitado, Íris viaja pelo mundo

O relógio gosta de rotina. Mais de vinte horas se passam e tudo igual. Já fez a lição? Vem comer. Vai dormir. Deixe sua irmã em paz. O cheiro da comida nunca muda. O chefe parece todo dia arrumar problema para o pai. A mesma ladainha.

Outro dia acaba. Íris espera todos se retirarem para cumprir a sua sina. Dormem na pontualidade de quem só conhece uma realidade, cotidiano que nunca muda. O motor da velha geladeira da cozinha e o ronco do pai são os únicos sons da casa, além da conversação da mãe, que, enquanto dorme, fala com seus devaneios.

De pijama e pés descalços, levanta da cama e olha para a irmã, que descansa tranquila enquanto ela segue devagar e vulnerável naquele destino que é só seu. Conversar com o espelho traz lá uma certa calma, algum entendimento. Ajuda a organizar uma ou outra gaveta da bagunça que existe aqui, bem do lado de dentro.

A três passos do banheiro, ouve um barulho, seguido de um vulto que passa de um cômodo para o outro. Íris fica paralisada por um minuto, mas decide ver o que é. O medo não dá trégua alguma. Caminha bambeando.

Chega na sala e encontra um senhor muito velho. Um ancião. Não tem rosto, este senhor, só tem noite, de tão antigo que é.

Nunca o viu pessoalmente, assim, na sua frente, mas sabe que integra os seres que se aglomeram em sua casa. Reconhece-o pelo som do cajado e dos pés descalços, firmes e insistentes. Seu ofegar pesado marca o ritmo dos passos. É assim todas as noites, desde quando não se sabe.

O homem mexe nos objetos dispostos na estante, ainda sem se dar conta da presença de Íris. Olha com cerimônia e atenção cada elemento que revela a alma da família. O caderno de receitas da Dona Deodora, a cabeça da boneca Brunela, arrancada do corpo pela caçula num momento de birra, e cartões-postais de lugares que de tão recônditos talvez nem existam. Por fim, com cautela e respeito, pega nas mãos um porta-retratos com uma foto em que aparecem os quatro: o pai, a mãe e as meninas.

Depois de um ou dois minutos, ele volta com a fotografia no lugar. Quando olha para trás, ali está ela. Medem-se de cima a baixo. Íris não consegue acreditar que aquele pavor de tantos anos, motivo de tanta insônia, era causado por aquela criatura, que parece ser incapaz de fazer mal até a uma planta.

Um sábio sem rosto e com longos cabelos brancos. Bem mais velho e mais calmo que o pai, parece ter vindo de outro planeta e vivido séculos antes de chegar aqui. Tem gestos lentos e imprecisos, de quem passou por todos os cantos, senhor das chuvas e dos ventos.

O visitante espera enquanto ela tenta chegar a uma conclusão. Passar item por item numa listinha mental: sonho não é, espírito não é, loucura também não é porque sou nova, e loucura é coisa de gente mais velha. Mas aquela presença serena faz o espanto ir se desmanchando aos poucos. As dúvidas continuam – pelo jeito, elas não iam deixá-la tão facilmente.

Íris aproxima-se desse desconhecido, esse estranho que lhe parece tão familiar, para tentar descobrir o que ele quer.

Lá fora, começa a cair uma garoa.

– Eu não gosto da chuva – revela a garota.

– Nem dos ventos barulhentos?

– Nem dos ventos barulhentos, nem do motor de carros em

estradas vazias, nem dos cachorros que latem lá longe.

– Quando eu era pequeno, anos mais novo que você, também não gostava não. Aprendi a gostar de novo, de tanto andar por aí. Adorava tomar chuva enquanto brincava de carrinho de rolimã. Sozinho ou com as outras crianças. Achava engraçado o som do trovão, parecia o céu dando bronca em mim. Caia na gargalhada, como se tivesse feito uma má-criação. A tempestade passava, a mãe chamava para o banho, e eu chorava por ter de parar de brincar. Pelo dia feliz que as águas levavam. À medida que fiquei mais velho, a tormenta pulou para dentro de mim. Só que ela nunca parava, não queria mais brincar. Comecei a preferir ver as poças d'água se formando no quintal, olhava para elas enquanto esperava a dor passar.

Será que ele sabe deste corte que mora aqui dentro de mim? Deste sentimento inexplicável que faz de mim uma garota estranha? Quem será que lhe contou? Que espécie de feiticeiro é este que já foi criança, que teve mãe, pipa, quintal, amigos e carrinho de rolimã? Será tudo uma mentira? Ou uma invenção da minha cabeça?

Para as perguntas de Íris não chegavam respostas.

– Quando a tormenta pula dentro da gente, é preciso ver o mundo mais de perto – afirmou o visitante – assim como uma lupa de aumento.

– Minha vontade é resolver este monte de conta que nunca fecha – revelou Íris.

Era noite das mais escuras. Da garoa abriu-se uma tempestade e, de tanta água, o céu parecia que ia despencar. Qualquer um daria tudo para ficar na cama, debaixo das cobertas, bem no quentinho. Íris não. Num impensado ato de coragem, decide:

– Podemos ir. Quero saber o que existe lá fora, para além destes muros, para longe deste bairro. Descobrir se alguém neste planeta pode me responder por que os eventos da vida, das justiças às injustiças, não podem ser resolvidos com precisão.

Sete passos e já estão na porta, aberta pela mão direita daquele senhor, agora seu guardião. Uma lufada forte de ar frio empurra seus corpos para trás e anuncia que a viagem está prestes a acontecer. Na estreiteza do laço de cumplicidade que mal começou, nem olham um para o outro.

Só então Íris percebe que se esqueceu de fazer a pergunta, aquela que pontua o início de qualquer amizade. Mas nem precisou se dar ao trabalho porque ele, como que lendo seus pensamentos, se adiantou:

– Eu me chamo Bonsenhor.

A história da misteriosa ciganinha e sua sagui fêmea

Íris e Bonsenhor já estão caminhando há muito tempo, mesmo sem saber que muito é este. Antes, passaram pelas ruas feias e cinzentas da vizinhança da casa dela, e ela contou como vivem as pessoas daquele lugar. O que falam as fofoqueiras, do que brincam os meninos e meninas. Ele, curioso, presta atenção, preocupado em não deixar escapar nenhuma história.

Às vezes, caminham pela calçada. Em outras, bem no meio da rua. Às vezes, ouvem xingamentos de motoristas. Em outras, ainda, não veem ninguém.

Faróis abrem, amadurecem e ficam verdes de novo. Um quarteirão é deixado para trás, depois dois, depois três, depois vários. Dobram muitas esquinas.

Os dias amanhecem e anoitecem, e eles apenas seguem.

Quando estão inspirados, param para ler os muros pichados e para brincar de fazer rimas, um completando a frase do outro.

Vou te contar um segredo.

Ou uma história de carocha.

Para você não sentir medo.

Para rir o quanto possa.

Mendigos, sábios e malandros. Cortiços com suas vielas estreitas amontoadas de gente. Bêbados andando trôpegos e caindo às portas de ferro das biroscas de seus vilarejos, cantando para a lua e falando para quem quiser ouvir verdades que só as estrelas sabem – enquanto os aposentados, concentrados, jogam biriba nas mesas de pedra da praça.

Conhecem gente nem muito do mal nem muito do bem. Passam por mansões e suas janelas grandes, imperiosas. Por curiosidade, ficam horas parados na frente delas só para tentar descobrir o que este povaréu tanto faz, como ganha a vida, como a leva e de que forma deseja encontrar a morte.

Chegam a conversar com pessoas ricas, senhores nobres com suas bengalas de madeira escura e lustrosa e suas enormes barbas brancas, ambiciosos ou não. Vozes tão roucas de muito fumar que parecem ter saído do centro da Terra.

Passam também por mulheres e homens bonitos com seus corpos esculturais, que mais parecem gente de televisão.

Cruzam fazendas e aprendem como vive o povo do campo. Veem gados sendo cuidados e tocados de um lado para o outro. Esperam outonos, que chegam com toda a sua aspereza, e primaveras, que trazem alegria e clareza.

Até territórios tomados por tragédias eles atravessam, um mundo de ponta-cabeça. Presenciam crianças morrerem e anciões renascerem. Às vezes, é o inverso.

O cansaço e a fome seguem sempre por perto, mas nesta jornada é como se eles estivessem voando, andando a um palmo acima do chão. Não precisam de muito, não precisam de quase nada, só da companhia um do outro.

Quando Íris não consegue caminhar com os próprios pés, devido à exaustão, pede para descansar. Arruma um punhado de folhas secas, que serve como colchão. Dorme por uma hora, antes de retomar. Durante toda a viagem, este passaria a ser um hábito, uma prática frequente. Foi num desses cochilos que ele percebeu que ela tinha um gesto curioso, um tanto estranho – quando dormia, fechava as mãos.

Tem dias que é só diversão. Relembram o passado e criam o futuro. Gargalham sem parar, sem nem tentar se controlar, por causa de uma bobagem que ouvem de alguém ou das piadas que contam um ao outro na disputa de fazer rir. Em outros, é o silêncio que toma a palavra, e estes são dias cheios de saudades e reflexão.

Para separar uns dos outros, eles os identificam como "dias sim" e "dias não".

Hoje é um dia não. Foram parar numa estrada de terra com poeira seca que se levanta fácil do solo, sujando as roupas e fazendo secar olhos, boca e nariz. Calados, nela seguem. O som dos pedregulhos do chão é o único que habita este ar tão duro.

Não há árvores nem pássaros. Não há encostas nem precipícios. Só horizontes áridos por todos os lados. Às vezes, passa um cachorro magro e faminto. Em outras, passam famílias com crianças. Ali nunca se vê um carro ou um caminhão.

Íris pede para parar um pouco. Os dois se sentam numa pedra grande. Não é manhã nem noite, é simplesmente dia.

Confessa que, quando criança, sonhava em ter um vestido vermelho como o das princesas guerreiras, mas a mãe não fez não. Que tem pressa de ser adulta e que lhe parece estranha a ideia de ter nascido – não sabe ao certo como isso foi acontecer. Conta que tem dias que, olhando-se no espelho, não se reconhece, é como se, assim como Bonsenhor, não tivesse rosto. Tem outros que, reparando bem, até que se acha bonita.

E em meio a estes pensamentos e conversas, ela abaixa o rosto, beijando os próprios joelhos, e com a mão direita pega um graveto. Circula uma formiga enérgica que passa com sua folhinha nas costas.

Com os olhos de quase choro, desenha um círculo a cada passo que o inseto dá na terra de poeira solta, num combinado de cansaço e solidão. Lembra como é ter constantes insônias varrendo toda sua madrugada.

Bonsenhor adormece ali, sentado. Um pouco depois – nem muito pouco, nem muito depois – Íris faz o mesmo.

O frio chega lento e sorrateiro acompanhado pelo entardecer, e o pôr do sol pode ser visto em qualquer lado para onde se olha. Enquanto dormem, o sol se aproxima, fica tão perto, mas tão perto, que parece ser possível pegá-lo nas mãos, deixando seus raios escorrerem entre os dedos.

Não presenciam nada disso, apenas dormem um sono profundo. Só acordam quando Bonsenhor sente seus ombros sendo chacoalhados por um desconhecido.

É um sujeito atarracado com cara de brincalhão e gotas de suor que escorrem careca abaixo. Apesar de uma cicatriz em forma de lua, que chama a atenção de quem olha em sua bochecha direita, ele exala simpatia. E vaidade também, denunciada por um cheiro forte de lavanda, pelas pulseiras e correntes de prata e por um enorme relógio de pulso dourado, que faz tudo, menos marcar o tempo.

Quando Bonsenhor acorda, dá um grito daqueles. A causa do escândalo nem foi a esquisitice do tal homem, mas sim o animal que ele levava em seu pescoço suarento. Íris despertou no mesmo minuto, surpreendida pelo berro do amigo.

– Não precisam ter medo – disse o homenzarrão. A Juventina não morde, não pica nem pinica. Para dizer bem a verdade, a Juventina não faz mal a ninguém.

Ela é uma cobra, uma jararaca enorme e escamosa que vive sorrindo para quem se coloque à sua frente. Como sabe que vem de uma espécie que não esbanja candura nem cordialidade, esforça-se para construir algum carisma. Já ele é Américo, o patriarca de uma família de ciganos – homens, mulheres e crianças – que saem pelo mundo para estudar os saberes das matas e revelar a sorte de quem por eles passa.

Mesmo sem carregar um rosto, Bonsenhor parece devolver para o réptil um sorriso amarelo, tentando esconder o constrangimento e ganhando tempo para assimilar tanta informação. Depois de passados os mal-entendidos e feitas as devidas apresentações, Américo olha para o céu, ouve as ordens do invisível e anuncia:

– Precisamos chegar na floresta.

Decisão bem decidida não abre brecha nem para dúvida nem para discussão. Já recompostos da ação brusca e da presença inesperada do bicho peçonhento (que tentava não ser tão peçonhento assim), Bonsenhor e Íris acompanham Américo.

Na tontura do acordar, vão se acostumando com a luz amarelada do crepúsculo. Quando a visão alcança a lucidez completa, conseguem enxergar melhor cada uma das pessoas que seguem aquele homem, gente cigana, gente do circo.

Percebem que são muito unidos, sempre atentos às necessidades uns dos outros, mas que cada um, individualmente, leva consigo uma característica única e especial. No caos próprio de uma família errante, há uma organização particular, cheia de respeito, que gente como a gente não está acostumada não.

Durante a jornada, esta, a nova – que não é mais silenciosa, mas ilustrada de música, magia e bagunça das boas, eles identificam no grupo mais uma jovem que parece ter a mesma idade que Íris. Uma garota malabarista, alegre, que com seus cones coloridos canta e dança sem parar, além de usar um lindo vestido vermelho. Assim como Américo, ela carrega um bicho em seus ombros.

Todas as pessoas do bando, que caminham juntas agora, passam por uma pontezinha onde, embaixo, há uma cachoeira muito limpa. Animam-se, pois querem tomar banho naquela água adocicada.

Encontram uma trilha de mato raso que dá no rio. Um por um, jogam-se em mergulhos divertidos, mesmo com a temperatura de tiritar os queixos. Já conhecem as delícias da natureza e com seus extremos estão acostumados.

Bonsenhor e Íris permanecem por perto, meio à espreita, mas não entram na água porque não conseguiriam se divertir sentindo tanto frio. Pela segunda vez no dia, procuram uma pedra grande de sentar. E ficam ali, fotografando em suas mentes cenas de um povo com modos tão diferentes.

Depois de tanta farra, deitam-se na grama da beira da cachoeira para descansar antes de prosseguir. Menos a garota de vermelho, que resolveu nem nadar, nem dormir, como quem sente que está sendo chamada por olhares curiosos sobre ela. Ou porque simplesmente pressente o desenhar de um encontro.

Eugênia é o nome da ciganinha que brinca com sua sagui fêmea, Pluma, na outra margem do rio. Bonsenhor repousa no remanso admirando o céu, tomado pelo conforto vital que vem da terra. Já Íris não consegue fazer outra coisa que não seja testemunhar, com atenção e interesse, cada ação de Eugênia, que, como toda cigana, sabe decifrar mais do que as nossas vistas podem alcançar. É ela que dá o primeiro passo para quebrar o clima cheio de mistérios e medos. No ritmo do barulho das águas, atravessa a pontezinha que separa um lado do outro.

– Meu nome é Eugênia. Se quiser, pode me ajudar a encontrar frutas.

Íris toma um susto, trava, não sabe o que falar. Seu rosto esquenta e muda de cor. Nunca presenciou uma atitude tão corajosa vinda de uma desconhecida.

– Agora não. Estou bem aqui. Obrigada.

Percebendo a timidez e desconfiança, Eugênia se afasta. Já Íris se arrepende no mesmo segundo da resposta desastrada. Vê sua quase-amiga atravessar a ponte de novo, usando um vestido vermelho, igualzinho ao de seus sonhos de criança.

Sem se dar conta do que estava acontecendo, Bonsenhor levanta-se de sobressalto. Sem razões racionais nem porquês, uma vez que o tempo da natureza só obedece a si mesmo, sentia que já era hora de se movimentar novamente.

Pouco tempo depois, Américo e Juventina também acordam. Ele desajeitado, rascunhando um mau humor que não combina com sua figura cômica e desarranjada. Apruma-se, pega no bolso um espelhinho de mão e confere sua aparência, seus dentes de ouro, numa nítida autoadmiração. Em seguida, ajuda os seus com as últimas arrumações. Todos ficam prontos em minutos.

O deslocamento continua e Íris e Eugênia andam ao lado uma da outra, num tipo de silêncio cheio de cuidados e afeto que ilustram o começo das grandes amizades.

O presente enigmático e a inquietante busca por respostas

Enquanto seguem na trilha dos adultos, Íris quis saber como Eugênia fazia para jogar as argolas, bolinhas e cones para o céu sem deixar cair nada no chão. Aquilo era de impressionar. Será que carregava algum tipo de truque ou magia?

– Quer aprender? Na próxima parada, posso te ensinar. Podemos treinar juntas – disse Eugênia.

Íris disfarça para não deixar ninguém perceber a ansiedade que nasceu depois da promessa, em algum lugar dentro dela, bem entre o estômago e o coração. Vez ou outra, olha para o rosto de Eugênia para sentir se ela mudou de ideia.

A cigana, intuitiva que é, em poucos segundos percebeu o efeito que sua oferta tinha surtido, mas respeitou a decisão de Íris em não demonstrar euforia.

Durante o percurso, riram e conversaram sobre muitos assuntos. Descobriram afinidades, como se fossem amigas desde sempre. Eugênia quis saber como era ter uma casa, se gostava da irmã.

– Minha vida é sem graça de dar dó. Nunca acontece nada. Nem coisa boa, nem ruim – contou Íris.

– Já a minha nem sempre é tão colorida assim – confessou a outra.

Eugênia revelou que é órfã de pai e mãe, que morreram quando ainda era pequena, vítimas de um peste que se alastrou numa das comunidades onde viviam. Fora criada pelo tio Américo.

Já Íris quis saber mais sobre a vida de ciganos. Perguntou sobre os arcanos do tarô, a ciência dos astrólogos, os truques dos mágicos e a solidão dos palhaços. Se não sentiam falta de uma casa com quarto, sala, cozinha, banheiro, lavanderia e quintal.

Eram muitas as revelações.

– Você sabe ler a sorte na palma da nossa mão?

– Sorte não existe. As pessoas costumam confundi-la com acaso. Consigo enxergar apenas alguns presentes e desafios que o destino pode trazer para cada um. E só.

– E o que é sorte, então?

– Sorte é uma ciência exata. Resultado da soma da vontade e do fazer.

– Ah, mas não é mesmo. Sou a melhor aluna de matemática da minha classe e posso garantir que não existe exatidão nenhuma na sorte. Muito pelo contrário.

– Como você pode ter tanta certeza?

– Nem tudo na vida faz sentido. O mundo não tem lógica. As contas não fecham. Os acontecimentos são tão desordenados que nenhuma ciência pode explicar.

– Nem sempre os céticos têm razão, Íris. Na maioria das vezes, não têm não.

– Céticos?

– Aqueles que só acreditam no que podem enxergar ou pegar com as mãos. As pessoas que têm certeza que um mais um são dois.

– E não é, não?

– Nem sempre. As respostas vivem em outro lugar, longe das regras e da razão.

– Desculpe, Eugênia, não dá para acreditar no que você está dizendo.

– Então você é uma pessoa... cética.

– Com certeza eu sou.

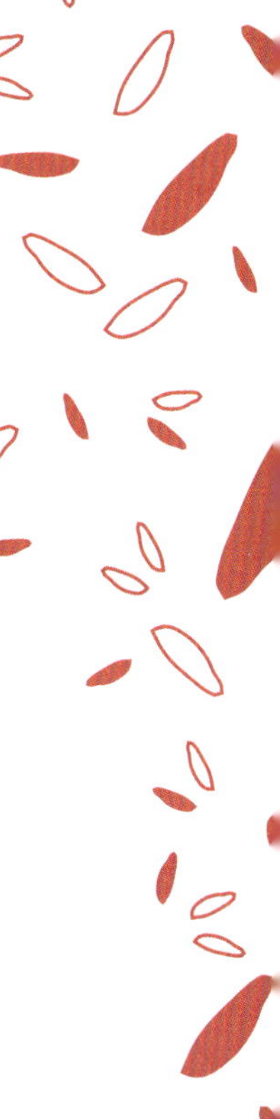

– Você tem seu direito, Íris. Não tem problema nenhum. Apenas saiba que, no decorrer do caminho, suas verdades podem virar pó.

– E você? Consegue prever o futuro? Dizer como será a minha vida?

– Sua vida será aquela que você imaginar, com uma pontinha de ajuda do universo, que sabe mais que a gente. Pelo menos disso você pode ter certeza.

Íris ficou pensativa, olhou para baixo para buscar na terra vermelha mais explicações. Este era, para ela, um enigma complicado de resolver.

– Tenho um presente para você, acho que vai gostar – anunciou Eugênia, quebrando o clima da conversa indecifrável.

Então ela tirou um pêndulo do bolso de vestido vermelho e colocou na mão direita de Íris. Com uma correntinha grossa e cumprida, de prata, dessas bonitas de colocar no pescoço, e com um pingente grande de madeira em formato de gota.

– Ele ajudará você com suas respostas. Principalmente aquelas que estão aí dentro – apontou para o coração de Íris – e também as que chegam lá do céu.

– É lindo demais. Obrigada, Eugênia. Mas duvido que ele possa oferecer o resultado exato para a equação da vida.

– Você mesma descobrirá, do seu jeito. De todo modo, aqui está. Ele é todo seu.

– Mas você não é uma cigana? Os ciganos não sabem de tudo?

– Nós não sabemos de tudo, Íris. Ninguém sabe. Nós só aceitamos o mistério.

– E quando o pêndulo não resolver?

– Recorra ao tempo. Só ele consegue esticar e acomodar nossas inquietações. Só ele pode trazer as conclusões completas. Assim como o pêndulo, é função dele revelar.

Como se não houvesse mais espaço, naquele momento, para

tantas perguntas, elas seguiram no grupo, sob o comando de Américo, que ia na frente, a cantarolar. Mantiveram-se atrás, sem olhar uma para a outra, num silêncio espinhento e cheio de pensar.

Era final de tarde. O crepúsculo alaranjava o céu quando Américo encontrou um terreno perfeito para armar uma tenda. Um lugar calmo onde poderiam descansar.

Íris ficou encantada com tantos tecidos e lonas coloridos que, em poucos minutos, com o trabalho de muitas mãos, se transformariam num aconchegante lar, mesmo que provisório. Montaram um altar com flores, velas e imagens de pessoas que não conhecia. Deduziu que eram pais, avós, tios, mentores, gente que já se foi.

Numa bancadinha improvisada, Américo estendeu no chão uma toalha com estampas de flores grandes e nela colocou água, frutas, um cesto de pães e um pote de doces. Entre uma árvore e outra, pendurou uma surrada rede de pano grosso. Era nesse canto da mata selvagem que a trupe matava a fome e descansava.

Aos poucos, na medida em que a noite chegava e o céu enchia-se de estrelas, as pessoas ficavam mais leves, mais soltas, mais contentes. As mulheres limpavam as crianças e começavam a se enfeitar. Já Américo e outros homens acendiam uma enorme fogueira. Em torno dela, cantavam e dançavam músicas faladas em outra língua. Saias de cetim balançavam para lá e para cá. Sons de instrumentos dos mais variados. Girassóis por todos os lados. Um perfume de jasmim envolvia toda aquela magia.

Íris nunca tinha estado numa festa como aquela, surgida como que por um encanto. Nunca tinha presenciado tanta vida em tão poucos metros quadrados.

A festa adentrou a madrugada, mas chegou ao fim. Enquanto os mais velhos se retiravam, os mais jovens continuavam conversando. Íris foi até Eugênia, pediu um abraço e agradeceu pelo pêndulo. Nunca havia ganho um presente tão especial.

– E você, Íris? Não espera nada do mundo?

– Estou tentando descobrir o que ele quer de mim.

– Quando descobrir, insista. Vá até o fim.

Eugênia foi para dentro da tenda ajudar as mulheres nos cuidados com os menores. Já há algumas horas, Bonsenhor dormia, acomodado em lençóis emprestados por Américo. Roncava de exaustão. Íris permaneceu do lado de fora até o último entrar. Preferiu dormir por lá, ao lado de uma árvore centenária, amparada pelas folhagens secas, como estava acostumada a fazer.

Depois de ajudar na organização, Eugênia, ainda acordada, saiu para o lado de fora da tenda. Viu que Íris já havia adormecido. Foi até ela, deu um beijo em seu rosto e afagou seus cabelos, como um anjo bom de proteção. Falou baixinho:

– Não se preocupe, minha amiga. Saturno, o Senhor do Tempo, tudo nos revelará.

Pegou seu violão, que estava ali perto, e começou a tocar, sentada aos pés da árvore centenária. Enquanto isso, Íris sonhava que ela e Eugênia estavam no topo de uma montanha, olhando um horizonte infinito, com os braços e mãos bem abertos. O vento soprando com a força da juventude, a galope. Gargalhavam sem parar pelo simples prazer de estarem vivas.

De súbito, Íris acordou depois de algumas horas. O sol já nascido cegou seus olhos por segundos, até que encontraram Bonsenhor. No lugar da tenda, não tinha nada, nenhuma alma viva. Era como se ninguém nunca tivesse passado por lá.

– Onde estão? – perguntou.

– Foram ocupar outras paragens. São nômades, precisaram seguir.

Íris sentiu uma ressaca, a amargura amanhecida da decepção. Foram deixados ali sozinhos, à própria sorte, sem nada. Sentia também certa mágoa, uma frustração pela amizade iniciada. Nunca conseguiu entender por que as pessoas desaparecem, somem, viram pó, vão para o espaço. Eram assim as amizades? São feitas num só dia e, no outro, já não existem mais? Será que um dia elas iriam se reencontrar? Como saber se tudo o que Eugênia disse, e que ensinou a Íris, era mesmo verdade? Ficaram na floresta, sobrevivendo por mais três dias. No quarto, quiseram sair dali. E Íris acostumou-se com a ausência, aquele início sem sequência, e não aprendeu a jogar malabares.

Em um curioso caminhão, Íris conhece novos sentimentos

Íris e Bonsenhor também buscam para si um novo caminho, assim já se acostumaram. De uma exuberante mata selvagem, que lhes deu a energia de que precisam os andarilhos, foram parar no asfalto causticante. Uma rodovia expressa, na qual passam muitos veículos, com pressa não se sabe para onde.

Acenam, pedem carona, sem imaginar onde suas histórias vão dar. Seguem equilibrando-se nas valas dos acostamentos, com pés doloridos e fome. Depois de percorrerem a rodovia por horas e horas, sem cruzar com nenhuma alma sequer, percebem que há um caminhão parado no acostamento.

Como não veem ninguém por perto, aproximam-se e dão a volta no veículo. Acabam se deparando com um anão que finaliza a troca dos quatro pneus. Com calma, guarda seus equipamentos e lava as mãos para tirar a graxa das unhas. Após secá-las bem, bebe toda a água de sua moringa de barro num único gole.

Ainda concentrado em sua sede, Casimiro, como é chamado, faz uma rápida radiografia da dupla. Os três se apresentam e, em seguida, ele ordena:

– Subam aí. Tenho água e comida.

Eles aceitam o convite.

Íris sempre achou engraçada a palavra "boleia", mas nunca tinha subido em uma. Depois de se acomodar no banco do passageiro, no espaço do meio, ao lado de Bonsenhor, que fica perto da porta, só então percebe que os pés do homenzinho, o motorista, não alcançam nem freio, nem acelerador, nem embreagem.

Mas não havia com o que se preocupar. A partir do momento que ele girou a chave (cheia de penduricalhos de figas e pés de coelho) e que engatou a primeira marcha, o veículo se movimentou e seguiu viagem tranquilamente.

Quem se encontrava na beira da estrada via que ele dirigia numa velocidade alta, fora do normal, assim como um foguete. E não andava colado ao solo, mas suspenso no ar, assim como um avião. Quem estava dentro podia jurar que continuava parado.

– Qual é seu trabalho exatamente? – quis saber Íris.

– Sou um Investigador dos Emoções Humanas e Viajante do Espaço Terrestre.

Quando ela e Bonsenhor viraram para trás, na caçamba, não podiam acreditar. Encontraram muita gente, grupos e mais grupos, pessoas de todos os tipos, vindas de diversos lugares. Percebendo a estranheza dos visitantes, Casimiro explicou:

– Sempre dou carona para quem me pede. É que alguns decidem ficar.

Só então Íris e Bonsenhor entenderam que todos ali seguiam ainda sem destino, mas cada um com sua busca muito particular. Em suas bagagens, cada indivíduo, que ocupava um lugar na caçamba, trazia consigo sonhos, frustrações, desejos, medos, características que carregavam para lá e para cá. Uns já estavam cansados, outros apenas se deixavam levar. Outros, ainda, seguiam esperançosos atrás de uma vida nova. Assim como Íris, todos estavam atrás de alguma resposta ou explicação.

Ela conheceu muita gente diferente e curiosa, como o Senhor Adamastor, um homem muito nobre, que fuma seu charuto e que adora falar a palavra "inconstitucionalissimamente". Usa um terno cinza e um chapéu elegante e sempre faz um cumprimento cordial para quem passa por ele. Tinha também um outro homem, Clóvis

Ramiro, bem mais jovem que o primeiro, muito rico, investe na bolsa de valores e toma cervejas artesanais. Usa óculos escuros e camisa de praia florida e já visitou praias paradisíacas no mundo inteiro. Adora ser visto e elogiado, falar sobre seus assuntos, mas dar atenção não gosta muito não. Já um outro rapaz, Bernardino, magrinho, cuida de tudo e de todos, tem esmero e mania de limpeza e não para de varrer a caçamba, mesmo quando não existe sujeira nenhuma. Ele é o melhor amigo de uma senhora negra e corpulenta, Rosalva, que tem o abraço mais gostoso e prepara o bolinho de chuva mais saboroso do mundo. Uma dona cheia de sorriso e compaixão. Gargalha de um jeito tão contagiante que não só chacoalha o caminhão, como faz a gente querer rir junto. E tem também Ruanita, um menina espevitada e tagarela, que usa óculos redondos e adora anedota, trocadilho, chiste e adivinhação. Estas eram apenas algumas pessoas do grupo.

Tinha, ainda, gente que comia mingau, que curtia decoração, que criava um gambá como um animal de estimação. Gente que queria estudar odontologia, que detestava azeitona e que, vez ou outra, proferia um sermão. Tinha gente de todo tipo. Em suas buscas, todos se sentiam acolhidos e seguros dentro do caminhão.

– Todos os passageiros me ensinam um pouco e me ajudam a descobrir quem sou, Íris – revelou Casimiro.

Depois da explicação, Íris pediu autorização para pular da boleia para a caçamba, pois

queria se apresentar, ver todo mundo mais de perto. Estava achando tudo aquilo muito curioso.

Com seus novos colegas, Íris acessou novos mundos. Conheceu gente que vivia para encontrar com a poesia, que não comia nenhuma fruta além da maçã, que não saia do estado de euforia. Pessoas que passavam horas lembrando de suas proezas ou que rezavam para seus santos, fazendo seus pedidos com intenção. Tinha também aqueles que nunca chegavam a nenhuma conclusão e outros que não viam a hora de plantar suas sementes. Gente que desejava a liberdade ou que seguia uma doutrina. Tinha também quem subiu no caminhão apenas para uma simples carona, pois precisava comprar mercadorias. Homens e mulheres que agiam com prudência, guiavam-se pela inteligência ou assumiam a liderança. Outros apenas precisavam ajustar o prumo e retomar o equilíbrio. Eram muitos os desejos.

Ofegante de tanto se divertir, Íris resolveu contar para sua turma a história que tinha acabado de viver: o encontro com a cigana Eugênia. Depois de compartilhar todos os detalhes da experiência fantástica, resolveu mostrar o lindo pêndulo que ganhou de presente. Mas onde deixei minha mochilinha?

Quando se levantou para começar a procurar seus pertences, Íris olhou para trás e viu que uma mulher muito estranha a encarava de forma não menos estranha. Seu nome era Magnólia, uma antiga passageira que nunca ia embora e que não se dava bem com ninguém. Vivia arrumando confusão e era conhecida como A Intragável.

Diziam que a figura, por vezes, formava em torno de si uma névoa, deixando seus cabelos semelhantes a lesmas peçonhentas, uma praga de larvas, um couro cabeludo de caraminholas.
Uma medusa capaz de confundir os pensamentos de quem chegasse perto.

Só então Íris percebeu que ela ainda não tinha visto aquela

pessoa por ali. Onde ela estava escondida este tempo todo? Será que ficou nos vigiando?

– É isso aqui que você está procurando? – perguntou a enxerida, balançando a corrente em tom de provocação.

Ela quase caiu para trás quando viu que seu pêndulo, o presente mais especial que ganhou em toda a sua vida, estava nas mãos de uma desconhecida com uma fama nada boa.

– A senhora pode fazer o favor de devolver o meu colar porque ele é meu?

– Venha buscar – continuou desafiando a estranha.

Íris não podia acreditar naquilo. Uma provocação gratuita, do nada, sem mais nem porquê. O que será que ela quer? Brigar simplesmente? Brigar por brigar? Por quê? Mas eu não fiz nada para ela, meu Deus, nem tinha visto ela ali. A verdade era que A Intragável simplesmente parecia irritada com a atenção que Íris recebeu dos demais passageiros, mas ainda assim não entendeu direito o motivo da cisma.

Casimiro espiou pelo retrovisor e ficou apreensivo – o que será que a Magnólia iria aprontar dessa vez? Mas ele não podia fazer nada, nem parar o caminhão, pois seguia dirigindo numa estrada perigosa sem acostamento. Bonsenhor dormia.

– Não vem pegar não, mocinha?

A provocação continuava, com muita ironia.

Uma raiva sem tamanho começou a nascer no coração de Íris, como uma espécie de bicho-hospedeiro. Um sentimento nocivo chegava sem pedir licença, ocupando todo o seu espaço interno, como se fosse sua casa.

– Você não tem direito de mexer nas minhas coisas. Devolva o meu pêndulo agora.

– Não vai nem perguntar quem sou eu? Por que não veio fazer amizade comigo, hein? Simplesmente me ignorou. Você é do tipo que escolhe seus amiguinhos, não é isso? Esse bando de ignorantes, sanguessugas. Que menina malvada você é! Agora não vai me dizer que não está gostando de ser a nova queridinha do caminhão do Casimiro. Pois fique sabendo que este lugar é meu.

Aquele ataque revelava para Íris sentimentos misturados e confusos. Magnólia sentia ciúmes, raiva, inveja. Mentia o quanto podia. Insultava Íris pelo simples fato de ela existir e estar ali. Àquela altura, não havia possibilidade de diálogo. Íris não conseguia sentir por ela nenhuma empatia. Tinha um único objetivo.

– Não me interessa saber quem você é. Devolva o meu pêndulo agora!

Magnólia inicia uma ronda em torno de Íris com a intenção de encurralá-la, balançando o objeto para lá e para cá, incitando-a cada vez mais.

– Vem pegar, vem.

Analisa cada um de seus gestos e movimentos para poder dominá-la.

– Você se acha a dona da razão, não é mesmo? Agora quero ver. Lá da boleia, Casimiro continua desesperado, sem poder fazer nada, e Bonsenhor dorme.

Íris tenta calcular sua força. Se for para cima dela, pode apanhar e se machucar muito. Não sabe bem o que fazer, se vai ou se fica. Seus colegas permanecem paralisados, em dúvida se devem ou não se meter naquela briga. Apenas esperam e observam.

Inesperadamente, Íris sente um aperto forte no peito, um sufocamento, uma falta de ar que parecia combinar com aquele momento. Uma sensação horrível que, vez ou outra, acontece em sua rotina de adolescente comum, em sua casa, que agora está muito longe. Sente vontade de chorar, sumir, fugir e gritar, mas suas pernas ficam fracas e bambas.

A força da outra está tirando a sua.

De repente, vem um desejo de estar sendo cuidada pelos pais e na companhia da irmã, mesmo sabendo que heróis eles também não são. E de voltar no tempo, quando suas necessidades eram tão poucas e tão triviais. Quem sabe esquecer aquele pêndulo, que fique com ela, e pedir para descer do caminhão.

Uma enorme confusão se forma em sua cabeça. Chega a pensar que talvez o mundo não fosse mesmo para ela. Que talvez aquela fosse a hora de ser arremessada para uma outra galáxia, como nesses acontecimentos bizarros que aparecem na internet e na televisão. Eu poderia desaparecer como as outras pessoas que também desaparecem. Nunca soube lidar com tantos truques, malícias, mandingas e mistérios que a vida teima em apresentar para quem vive. Como sair daquela situação? Usa a pouca energia que resta para tentar elaborar um plano, buscando nas gavetas da razão e nos baús da memória um conhecimento ou solução.

Como não encontra, decide experimentar o lado oposto de seus pensamentos. O que aconteceria se ela encarasse o que tivesse para encarar, mesmo se tratando de uma injustiça, de desarranjos que não tinham nada a ver com ela?

Íris, então, usa todo o seu ímpeto para enfrentar a rival. Se for eu para apanhar, que eu apanhe. Se for para eu morrer, que eu morra. Com este tanto de coragem, em fração de segundos, avança com tudo na opositora. As duas caem no chão e começam a se engalfinhar, a puxar cabelo e a disparar chutes e arranhões. Magnólia visivelmente tem mais força. Fecha o pêndulo na mão direita muito fechada, sem dar chance para resgatá-lo. Com a outra, lança fortes tapas no rosto de Íris. Os presentes não se predispõem a apartar a briga, não sabem bem o que fazer. Íris mais se defende do que ataca. De repente, as unhas de Magnólia desenham o primeiro risco de sangue no rosto de Íris. Depois de um soco no estômago, cai como uma rocha no assoalho, contorcendo-se, quase cega de dor.

A ação de Magnólia foi mais rápida do que a coragem do grupo em tomar alguma atitude. Ninguém imaginou que A Intragável chegaria a este ponto. Quando se deram conta, Íris já estava toda machucada.

Cheios de raiva e culpa, vendo que aquela briga havia chegado ao limite do inaceitável, os colegas tardiamente decidem agir. Um grupo corre para socorrer Íris enquanto o outro imobiliza Magnólia pelos braços.

– Agora você não escapa, devolva este pêndulo – ordenou Clóvis Ramiro.

Sem saída, Magnólia obedeceu, mas ele logo percebeu que a corrente estava quebrada. Lamentou e colocou no bolso para devolvê-lo para a dona depois.

Mesmo ferida, com o rosto sangrando e sentindo muita dor no abdome, Íris consegue abrir os olhos aos poucos. Clóvis mostra que conseguiu resgatar o pêndulo. Sem forças, ela apenas

abaixa a cabeça, com tristeza, quando percebe que a corrente se rompeu.

– Estou certo de que conseguiremos consertá-lo – tentou o Senhor Adamastor, mesmo sem tanta certeza assim.

Com o auxílio dos amigos, Íris foi se levantando e caminhando até sua inimiga, que estava presa pelos demais passageiros daquele caminhão. Assim, Magnólia não poderia fugir nem tentar nada novamente.

– Venha, Íris. Você pode dar o troco nela, se quiser.

Esta foi a proposta de algumas pessoas do grupo, menos de Rosalva.

– Você também tem o direito de dar arranhões, socos e pontapés, assim como ela fez com você. Assim ficam quites, alguém explicou. Você não pode deixar para lá.

Íris ainda estava sob o efeito da raiva e, passo a passo, aproximou-se de sua rival, que nesse momento não falava nada, nenhuma palavra. Seus olhos exalavam medo, como um bicho acuado, enquanto esperava para saber o que ia acontecer.

A situação agora estava sob o domínio de Íris, embora não soubesse bem o que iria fazer, que decisão tomar. Como bater numa pessoa que mal pode ser mover?

Quando chegou perto, muito perto, olhou bem para os olhos dela. Chegou a fechar as mãos para revidar os socos que tinha recebido, quando o caminhão parou numa freada brusca.

Casimiro e Bonsenhor foram para a caçamba e presenciaram a cena, apavorados, enquanto os outros continuavam.

– Vamos, Íris. Acabe logo com isso. Dê o troco.

– Não faça isso – aconselhou Casimiro. Não carregue com você uma bagagem tão pesada.

Íris não achava justo deixar para lá, como se nada tivesse acontecido. Aconteceu, todo mundo viu, ninguém podia negar. Não era certo com ela. Foi ferida por alguém que nunca viu na vida. Por outro lado, lembrava da imagem de Eugênia, que vivia sem medos, sem amarras, sem culpa, ao mesmo tempo que os conselhos de Casimiro chegavam a seus ouvidos com força.

– Pare com isso agora, Íris, por favor, você vai me agradecer depois – insistiu.

– Como não, Casimiro? Ela quis me matar sem nenhum motivo.

– Essa armadilha não é para ela, mas para você – continuou o motorista.

– Ouça as palavras de Casimiro, Íris – reforçou Bonsenhor.

– Pode me bater, estou esperando, eu mereço, sei que eu mereço – retrucou Magnólia.

– Fique quieta, não a provoque – ordenou Casimiro.

– E o meu direito de fazer justiça? Ninguém pensa nisso não? – questionou Íris.

– Isso é relativo, Íris. Só porque você está do lado oposto, não precisa ser como ela.

Íris olhou ainda mais para os olhos de sua inimiga e, lá dentro, bem lá dentro mesmo, viu que Casimiro tinha razão. Assim como ela e todos ali, aquela mulher embrutecida também tinha sua história. Assim como ela, todos ali carregavam uma dor complicada de curar. Jamais conseguiria mapear de onde teria vindo tanta raiva, quais os motivos dos abismos que um dia se abriram dentro dela. Agia sob uma lógica, oposta à sua, que ela nunca seria capaz de desvendar. Não adiantava pedir explicações, até porque elas seriam mentirosas, todas inventadas. Contaria lorotas para se proteger. Nem sempre somos capazes de conhecer nossos descaminhos. Então por que insistir? Assim como Casimiro, Eugênia estava certa, as respostas verdadeiras devem viver mesmo em outro tempo e espaço, longe das regras e da razão. Naquele dia, Íris deixaria de resolver mais uma de suas equações.

Continuou olhando nos olhos de Magnólia e decidiu:

– Poderia ser eu no lugar dela. Poderia ser qualquer um de nós.

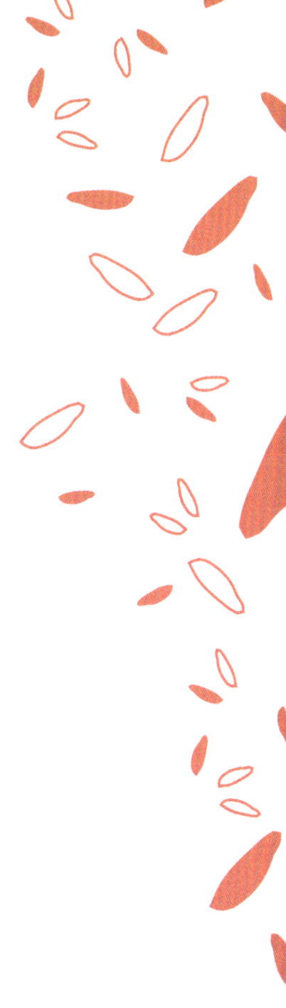

Enquanto mandava soltar sua inimiga, Íris libertava a si própria.

Durante algumas horas, todos do caminhão ficaram no ar, tentando entender o que aconteceu. O próprio Casimiro pediu desculpas, jamais em tantos anos de estrada algum convidado seu havia passado por aquele tipo de intimidação.

Em sua ânsia de se explicar, contou que não conhecia em profundidade o caráter de todas as pessoas que moravam ali, eram muitas. Não tinha controle sobre tudo.

Amparada, a insolente foi recobrando os sentidos. Parecia um pouco constrangida e com uma péssima fisionomia.

As duas se encararam, confusas e ressentidas. Para a impertinente, recompor-se não estava sendo uma tarefa fácil.

– Não sei o que te falar, sou assim e pronto, revelou Magnólia, orgulhosa.

– Está tudo certo, declarou Íris.

– Estou indo embora, Casimiro. Quero descer, meu tempo aqui já se esgotou.

Íris sentiu-se aliviada.

Demonstrando até um ponta de arrependimento e uma saudade precipitada, a mulher pediu a Casimiro que parasse o caminhão. Sabia que já não era mais o seu lugar – com aquela briga, seu tempo também tinha se esgotado. Com um nó na garganta, o anão atendeu a seu pedido.

Casimiro ajudou-a a descer da boleia e lhe desejou boa sorte. Viu a criatura avançar estrada afora, a pé, sem olhar para trás. Deixou o caminhão desligado, observando, de forma zelosa, até que a perdesse de vista. Ela virou fumaça no horizonte.

Exaustos, todos ficaram como acordados de um sonho desordenado.

– Nunca vi tanta angústia num único ser humano – revelou Casimiro, ele que era um curioso Investigador das Emoções Humanas.

– É esse o nome do buraco que carrego aqui dentro: angústia – deduziu Íris.

– A mais insondável das emoções – explicou o anão.

As peças do quebra-cabeça foram aos poucos se encaixando. Nunca conseguiu nomeá-la, mas a angústia sempre esteve com ela. Nos momentos que achava que seus pais desapareceriam ou quando a irmã, sem motivo, chorava sem parar. Lembrou-se das horas que, em casa e na escola, perto de amigos, parentes ou professores, via-se desamparada. Achava que, para ela, não existia lugar no mundo.

Agora se sentia um pouco mais segura. Quando conhecemos as emoções, elas nos tomam menos de assalto.

Como quem já dominasse o tempo das coisas, Íris entendeu que também a hora dela, e do amigo Bonsenhor, já tinha chegado. Precisavam seguir.

Com tristeza, pegou das mãos de Clóvis Ramiro seu pêndulo quebrado, na certeza de que jamais ele voltaria a funcionar, e agradeceu. Observou-o com cuidado e o colocou novamente dentro de sua sacolinha de pano, com a doce lembrança de Eugênia. Com afeto, Íris abraçou Casimiro, o anão, o condutor e o dono daquele reino encantado sob rodas, que também tinha para ela três presentes:

– Que pedras são estas? – perguntou Íris, recebendo-as em suas mãos.

– Um quartzo, uma ametista e um citrino. Para você levar paz, proteção e alegria. E, de agora em diante, em sua memória e no seu coração, pode me chamar de Padrinho.

Íris ficou emocionada não só com os mimos, mas com o título que acabara de ganhar – onde quer que estivesse, seria a afilhada de Casimiro. Assim como uma benção, ele desejou para sua vida liberdade, sorte e poesia; paz, proteção e alegria.

Em seguida, abraçou, um por um, todos os seus amigos, com quem se divertiu muito e aprendeu ainda mais. Rosalva encheu-

lhe de beijos, mas com o coração apertado. Ruanita chorava tanto que seus óculos redondos ficaram embaçados.

Segurando sua mochilinha, Íris desceu daquele caminhão fantástico amparada por Bonsenhor, que saltou primeiro, com um pouco de dor nas costas. Não parava de pensar em tudo o que tinha vivido. Agora sabia que cada pessoa que transita pelo céu e pela terra carrega consigo seus segredos, mistérios e encantos. Não seria diferente com Casimiro, o anão, o mais interessante Investigador dos Emoções Humanas e Viajante do Espaço Terrestre e, agora e para sempre, seu Padrinho.

A história do casal que vivia nos limites do tempo

Íris e Bonsenhor voltam ao princípio, é sempre assim. Seguem caminhando pela beira da estrada, ao som dos motores e em meio à fuligem dos escapamentos dos veículos que correm apressados. Muito asfalto e calor, o mesmo cenário de quando encontraram aquele sensível anão.

Conhecer e viajar com Casimiro tinha sido uma das experiências mais reconfortantes até então, um amigo para não se esquecer. Apesar das turbulências que viveram, ele e seu caminhão encantador salvaram Íris e Bonsenhor no momento que mais precisavam. Agora que estavam num novo percurso, ficavam pensando se não conseguiriam outra carona como aquela.

De agora em diante, esta seria uma carta na manga, pensaram. Sempre que estivessem muito cansados, bastava acenar e aguardar uma boa alma disposta a transportá-los para outro lugar, para uma nova etapa de suas vidas.

Depois de algum tempo caminhando à beira da estrada, quando viram que nada surpreendente acontecia, resolveram lançar mão deste expediente. Até porque, na medida em que anoitecia, a fome ia tomando conta do estômago e o medo, das entranhas. Íris ainda sentia muita dor dos socos e tapas que levou de Magnólia.

Acharam que aquele era o momento certo para pedir ajuda. Com tantos carros e tráfego intenso na rodovia, alguém iria parar.

Revezavam-se na tarefa de chacoalhar os braços para lá e para cá, para baixo e para cima, e de dar pulinhos, como se estivessem chamando algum conhecido imaginário do outro lado da pista. Tentavam, ainda, esticar apenas um braço e apontar o dedo polegar no sentido de quem ia. Nada. Ninguém parava.

Os motoristas que passavam em alta velocidade naquela estrada inóspita ou mesmo aqueles que dirigiam lentos feito tartarugas sequer enxergavam Íris e Bonsenhor – era como se eles não estivessem lá ou fossem invisíveis. À medida que a noite avançava, eles viravam vultos. Não eram prioridade para ninguém.

O tempo – que não tem o costume de esperar nem quem tem cama e comida quentinhas nem quem está em desespero – foi passando, impiedoso. A noite já se vestia de madrugada quando a fome começou a apertar ainda mais, abrindo uma fresta para a fraqueza, o desânimo e o mal-estar tomarem conta. A saída era dormir para poupar um pouco a energia que restava e aguardar por um milagre.

Ainda rente à vala do acostamento, depois de desistirem de acenar, decidiram, então, encontrar um meio de descansar. Íris ajudou Bonsenhor na tarefa de subir numa pequena encosta à beira da estrada – com uns cinco passos para cima, encontrariam uma área plana de mato raso. Conseguiram se estender numa terra vermelha e dura, ao lado de algumas poucas árvores peladas.

Ao som de carros, motos e caminhões, Bonsenhor foi o primeiro a adormecer – estava extremamente exausto. Não havia sido um dia dos mais fáceis.

Olhando para ele, Íris observou que, comparando com o início da viagem, sua saúde já não era mais a mesma. Estava fraco e um tanto doente. Era um ancião ainda mais envelhecido. Bonsenhor, este senhor que pouco fala, mas que está sempre ao seu lado. Esta boa alma presente enquanto Íris, aos poucos, reconhece a força das próprias ações. Ele que evitava plantar preocupações – esta jornada é sua, Íris, não tenho o direito de atrapalhar, falava sempre

– mas que caminhava cada vez mais devagar, sentindo dores nos ossos, nos músculos e nas articulações frágeis.

Parecia que Bonsenhor havia envelhecido mais uns cem anos. Não sabia dizer se resistiria até o fim ou se entregaria os pontos, ainda que não soubesse dizer que fim seria esse. Pela primeira vez, questionou-se: O que estou mesmo fazendo aqui? O que este meu bom e misterioso amigo, em seu silêncio e proteção, pretende tanto me ensinar? Mas a exaustão era maior que as dúvidas e ela logo adormeceu também.

A noite parecia não ter fim, um tempo estendido de que o céu, a lua e a estrelas precisavam para conseguir nutrir todos os que caminham pelo mundo.

Quando acordaram, já não estavam mais à beira da estrada, mas na praça pública de uma movimentada cidadezinha de um interior qualquer. No entorno dela, agitadas ruas de comércio, uma lojinha grudada na hora, com gente de todo tipo, correndo para lá e para cá. Mulheres puxando suas crianças de um lado e suas muitas sacolas na outra mão. Pedintes e guardadores de carro. Gritaria de ambulantes demonstrando gerigonças, dando desconto, fazendo negociações. Canções vindas de brinquedos eletrônicos, cheiro de incenso misturado com o de lanches de carne desfiada. Lonas estendidas nas calçadas, num extenso mercado de pulgas onde velharias são vendidas a preço de banana, mas que um dia já tiveram muito valor.

Íris e Bonsenhor despertaram perto do coreto da praça, demorando para mapear no cérebro aquele cenário e entender o que estava acontecendo. Que lugar é esse e como viemos parar aqui? – perguntaram-se. Estavam sob pedaços de papelão que não eram seus, mas emprestados por moradores de rua, que, ao lado deles, também descansavam, acompanhados de magrelos vira-latas e de suas carretas de madeira. Uma comunidade de gente que, por escolha ou não, tinha o céu como um teto permanente. Conforme eles acordavam, rascunhavam um íntimo bom dia, como se os novos visitantes já fossem seus vizinhos há algum tempo.

Apesar da cordialidade e da recepção, não dá para dizer, porém, que estavam num ambiente agradável, como a floresta onde conheceram os ciganos ou o caminhão de Casimiro. Era um lugar sujo e malcheiroso, que nem era mais sentido por quem vivia lá, de tão acostumados. De todo modo, Íris e Bonsenhor decidiram não reclamar de nada. Pelo menos, estavam salvos novamente.

Mesmo tendo acordado um pouco mais reestabelecidos, aceitaram um pedaço de pão e um tanto de café que mais pareciam um manjar dos deuses, tamanha a fome. Depois de alimentados, perceberam que na praça tinha um chafariz onde brincavam algumas crianças, jogando água umas nas outras, a mesma fonte na qual os moradores tinham o hábito de lavar o rosto ao acordar.

Bem ao lado da fonte, havia um coreto, onde se passava uma cena inusitada. A discussão de um casal que, naquele espaço, mais parecia um espetáculo de teatro. Em determinado momento, a moça desceu os três degraus da escadinha do coreto e começou a dar voltas nele, feito barata tonta.

– Vai começar tudo de novo – resmungou Lucrécio para Íris escutar, ele que era um dos moradores do espaço.

Seu comentário revelava que aqueles dois, marido e mulher, eram frequentadores e conhecidos na redondeza. Para eles, a praça parecia o lugar perfeito para se discutir. Sempre que queriam brigar, era para lá que eles iam.

Lilibella e Até Então eram o casal em questão, nem jovens, nem idosos, tinham lá entre 30 e 40 anos. Dramáticos e apaixonados, pareciam saídos de um filme ou de uma novela da televisão. Até suas roupas pareciam figurinos – personagens de Shakespeare na praça principal de uma cidadezinha minúscula do interior.

Até Então gostava de se apresentar de maneira formal. Quando olhou para o sujeito, Íris chegou a pensar que ele tinha um jeito que lembrava do Senhor Adamastor, mas fisicamente em nada se pareciam, pois Até Então era bem mais jovem. Mas usava uma camisa branca de manga longa, calça preta justa, sapato social de verniz, paletó e cartola. Muito alinhado e com modos finos. Mesmo nos dias em que fazia muito calor, era assim que preferia se arrumar. Já Lilibella prendia seu cabelo liso, longo e muito preto num rabo de cavalo, bem puxadinho para cima. Usava uma camiseta branca com detalhes em verde e laranja neon. E um shortinho cinza metálico bem futurístico. Nada que usavam podia ser encontrado nas muitas lojas do comércio ao redor da praça, estavam em outro tempo.

Viviam juntos há anos e eram loucos um pelo outro, mas uma diferença brutal entre eles alimentava aqueles constantes desentendimentos: Até Então amava o passado, Lilibella só queria saber do futuro.

– Você só vive planejando, planejando, planejando, Lili. Não se lembra de nada que vivemos, não dá valor a nada do que conquistamos – ele reclamava.

– Quem vive do passado são estes vendedores do mercado de pulgas, querido – apontava enquanto falava. Nós precisamos pensar no amanhã, seguir em frente, você está atrasando minha vida. VOCÊ ESTÁ ATRASANDO MINHA VIDA.

Ainda que o pessoal da praça não soubesse dizer com precisão, corria na boca miúda a informação de que eles vinham de famílias muito ricas, produtores de soja e café, que se conheceram quando crianças, brincando nos campos de plantação. E que atualmente moravam num casarão construído há mais de um século numa fazenda da região. Enquanto Até Então adorava a tradição que herdou de seus de sua família, Lilibella queria se libertar: "Esta casa me sufoca, não consigo viver no mesmo ambiente que tantos fantasmas e teias de aranha", costumava reclamar.

Justamente por este desencontro de opiniões, não tiveram

filhos. “Jamais consegui encontrar nos meus planos espaço para fraldas e mamadeiras”, respondia a Lilibella para quem lhe perguntasse sobre a maternidade. Pela vontade de Até Então, poderiam ter uma penca de crianças, sobretudo porque esta era uma das melhores lembranças de sua infância, brincando ao lado dos cinco irmãos.

– Eu não aguento mais carregar tanta tralha, Até Então. Será que você pode dar um fim nisso de uma vez por todas? Quem sabe dar, vender ou tacar fogo?

– Faça isso e você nunca mais vai me ver.

Lucrécio apontou com o dedo para mostrar para Íris e Bonsenhor o que Até Então estava chamando de tralha. Embaixo de uma das árvores da praça, malas e mais malas, caixas de papelão embaladas, tudo amontoado e empoeirado. Se chegassem mais perto, sentiriam o cheiro de naftalina. Contou que, dentro daquelas caixas e malas, havia objetos de todos os tipos, tudo muito antigo. Cadernos de quando estava na escola, álbuns de fotografias de uma vida inteira, joias de família, poemas do século

passado, medalhas dos esportes que praticou na adolescência, cartas de pessoas mortas, bulas de remédio que sabia que qualquer hora podia precisar, recortes de anúncios e reportagens de jornais e revistas que já nem existiam mais.

Por mais que Lilibella lhe implorasse, Até Então nunca conseguira abrir mão de nada, pois tinha medo de perder seu passado, sua história. "Um homem sem memória é como um burro sem pasto", vivia conclamando.

– Você vai precisar escolher. Não aguento mais viver assim, sentenciou Lilibella.

Por mais que divergisse do marido, eles nunca tinham chegado ao ponto de pedir a separação um para o outro, ainda que brigassem durante anos e praticamente todas as semanas. Porém, como ela sempre queria ir e ele voltar, tinham chegado ao impasse, a uma situação insustentável. No momento em que Lilibella o colocou contra a parede, exigindo dele uma decisão, quem estava ali parou para aguardar a resposta de Até Então, que ficou emudecido. Vendo que ele não falaria nada, nem para cá nem para lá, ela precisou retomar com a palavra.

– Você nunca pensa em tudo o que ainda podemos viver e construir juntos – cobrou Lilibella, agora num tom bem mais baixo, ameno, um tanto magoada.

– E você não quer mais saber de mim – choramingava Até Então.

– Só quero ir além, muito além, tenho ambições, será que você não entende?

– Para que, Lilibella? Pode me dizer? Para quê? Se nós já temos tudo. Se nós já temos um ao outro. Nós já temos a nossa história e da nossa família.

– Você nunca consegue entender o que eu falo – afirmou a moça.

– Você nunca consegue escutar o que eu digo – retrucou Até Então.

Assim que ouviu aquela última frase, Lilibella não disse nada, apenas saiu andando. Levava consigo uma pequena bolsa, uma caderneta, mapas e esquemas, onde planejava tudo o que ia acontecer até o último dia de sua vida. Estava decidida a ir embora, a desbravar outras cidades e até países. Conhecer culturas diferentes. Queria ao menos descobrir o que existia atrás das montanhas daquela pacata região. Ter o prazer de usar roupas ainda mais modernas, saborear comidas exóticas, frequentar baladas badaladas, visitar ilhas desertas, conversar com pessoas interessantes, que vivessem de forma excêntrica, pensassem diferente dela e tivessem histórias extraordinárias para contar. Ainda que amasse o marido com toda a sua alma, queria ser uma forasteira. Havia um mundo inteiro para desbravar e sabia que não tinha tempo a perder. Seus sonhos só dependiam dela, e eles estavam ansiosos esperando por ela no futuro.

Os passos de Lilibella eram firmes, rápidos e bem resolvidos: ela parecia estar mesmo decidida. Virou as costas e nem sequer "Ele não tem o direito de definir os meus desejos", pensava enquanto ia embora chorando. Estava saturada da própria vida.

Até Então correu atrás dela, mas, mesmo diante de muita insistência e argumentos, não adiantou. As brigas eram sempre pelos mesmos motivos – "fique você com seu mausoléu" – e nada mudava. Porém, ele resolveu não se abater, porque ela voltava, sempre voltava. Já tiveram muitas discussões que levavam Lilibella a passar dois ou três dias longe de casa, mas ela sempre retornava para a fazenda. Seguro disso, Até Então decidiu ficar ali, abrigado de qualquer jeito, protegido por suas tralhas e na companhia de Íris, Bonsenhor, Lucrécio e demais moradores da praça.

Porém, vinte dias se passaram e nada de Lilibella.

A solidão foi tomando conta de Até Então, pois nunca havia acontecido de não voltar. Íris, Bonsenhor e os outros habitantes do lugar também não tinham mais argumentos:

– Mesmo que demore, ela volta, só precisa de um tempo – tentava um.

– Esta é a chance de você reconstruir sua vida – lançava outro.

Nada adiantava. Até Então estava cada dia mais confuso e deprimido:

– Nós nunca ficamos longe um do outro por tanto tempo – não sabia o que fazer nem por onde começar a procurá-la.

Depois de mais alguns dias sem querer comer nem dormir, ele resolveu que precisava inventar para si um novo rumo, rascunhar um caminho, até porque ele não tinha a menor ideia de onde ela estaria, talvez tivesse cumprido seu projeto e viajado para um lugar muito distante. Seu desejo era ficar onde estava e viver de suas memórias, mas sabia que voltar para o casarão não fazia sentido sem Lilibella.

– Que o destino me mostre o que devo ser e fazer – resolveu e anunciou para os amigos, ainda que muito contrariado.

Ninguém sabia ao certo como a nova resolução se daria concretamente. Mas logo todos descobriram. Até Então queria

seguir viagem com Íris e Bonsenhor, que levaram um tremendo susto quando foram comunicados.

– Claro, pode vir, se quiser – gaguejou Íris, completamente desconcertada.

Ela e Bonsenhor não esperavam uma novidade dessas àquela altura da jornada.

– Não temos nenhum meio de transporte, meu amigo. Andamos a pé e levamos conosco muito pouco, quase nada, para falar a verdade – explicou Bonsenhor.

– Bonsenhor já tem certa idade e dificuldade de caminhar. Fico pensando em como podemos ajudá-lo a carregar suas coisas – quis saber Íris, ainda constrangida.

– Vocês não precisam se preocupar. Deixem que eu levo tudo. Este é um assunto meu – arrematou Até Então, tentando demonstrar alguma segurança.

Num consenso entre os três, foram marcados dia e hora que deveriam sair, o tempo suficiente, inclusive, para que Até Então organizasse seus pertences. Foi um trabalho em equipe. Todos na praça davam mil sugestões para amarrar, embalar, encaixotar e armazenar cada um daqueles objetos que eram tesouros pessoais, tudo para que ficasse o mais leve e transportável possível. Cada vez que Até Então se deparava com uma foto de Lilibella, desabava a chorar de forma inconsolável, mas não conseguiu rasgar nenhuma, até porque ela já fazia parte de seu passado. Do passado que ele tanto amava e lutava para preservar, para manter vivo.

Chegaram dia e hora e, conforme combinado, os três partiriam numa nova caminhada. Íris e Bonsenhor continuavam inseguros, sem saber se deveriam ter se posicionado, sido firmes, impedindo que ele tomasse aquela decisão. Mas a amizade falou mais alto, e eles não conseguiram agir diferente, esta era a verdade, por mais que, lá dentro, tivessem certeza de que aquela não era a melhor solução.

Depois de muitas despedidas, abraços, choros e recomendações dos amigos, Até Então já estava pronto para partir. Olhou de forma amorosa e saudosa para a praça, para as lojinhas do comércio do entorno, para todo aquele ambiente tão urbano, ainda que fosse uma minúscula cidade do interior, e profetizou:

– Ainda volto para cá. Viverei novamente momentos felizes. Com ou sem ela.

E o trio, então, começou sua jornada, sem projeto nem rumo certo.

No primeiro dia, até que as coisas correram bem, numa certa ordem, com alguma tranquilidade. Íris e Bonsenhor revezavam-se na tarefa de ajudar Até Então no transporte de todo aquele conteúdo. Eles sabiam que precisavam estender a mão para aquele amigo, pois do contrário não chegariam a lugar algum. Até Então não queria dar trabalho, tentava ao máximo carregar sozinho sua bagagem.

No segundo dia, o percurso foi mais tortuoso, pois havia inóspitas estradas de terra que desembocavam em montanhas – precisavam subir e descer de enormes pedras escorregadias se quisessem chegar a algum lugar. A natureza e a geografia dos locais por onde andavam agora não queriam mais colaborar. Para piorar, Bonsenhor estava cada vez mais cansado. Reclamava de dor nas pernas e na coluna, tinha muita sede e pedia o tempo todo para parar.

De um lado, Bonsenhor com o peso da idade avançada. De outro, Até Então com o peso de um passado que não conseguia abandonar. No meio, Íris, tentando fazer o que podia, o que estava a seu alcance.

Do terceiro dia em diante, a andança estava cada vez mais difícil. Tiveram que enfrentar as mais diversas tormentas, desde tempestades até lugares dos mais secos e desertos. Muitos objetos de Até Então simplesmente desapareciam, quebravam, eram danificados, momentos em que os três tinham que parar para ele lamentar, sofrer e tentar consertar – era como se perdesse um braço ou uma perna. Íris e Bonsenhor agora viviam na pele os motivos das queixas de Lilibella.

Além de carregarem aquilo tudo, sempre precisavam parar para arrumar comida para os três, o que nem sempre era uma tarefa fácil. Nem sempre as pessoas que encontravam estavam dispostas a dividir um pedaço do lanche, a lhes pagar um pouco de comida. Teve até quem recusasse dar um copo de água. Não raramente eram confundidos com mendigos ou com gente que não quer nada com a vida.

Ninguém aguentava mais.

Ainda que Até Então começasse a esboçar traços de loucura,

perdendo um pouco a noção da realidade e da gravidade do que estavam vivendo, num lapso de lucidez, sentiu que não era mais possível continuar daquela maneira. Aquela jornada era de Íris e Bonsenhor, não dele. Seguir em frente, aventurar-se em novas planícies, viver experiências fantásticas, definitivamente não era para ele. Não era seu caminho.

– Vocês podem seguir adiante, vou ficar por aqui.

A decisão veio num dia em que os três pareciam sonâmbulos, num lugar muito seco. Numa estrada de terra perdida no nada. Mais um dia e ninguém sobreviveria.

– Não podemos deixá-lo aqui sozinho e com tantas malas para carregar – disse Íris.

– Vocês não precisam se preocupar comigo, vou dar um jeito, conheço o caminho para voltar – explicou Até Então, tentando acalmar os amigos.

Íris e Bonsenhor não só se despedaçaram como se desesperaram. Como deixar Até Então abandonado, sozinho, sem apoio nem companhia de ninguém? Ao mesmo tempo, eles sabiam que ninguém tinha escolha. Ou aquela ruptura acontecia ou, em pouco tempo, já estariam mortos.

Os três se abraçaram e engasgaram de tanto chorar. Íris e Bonsenhor tinham a sensação de que, em vez de zelar por uma pessoa querida, estavam deixando-a desamparada. E se ele morresse? Como saber se tudo daria certo? De todo modo, uma força maior pedia que continuassem. Que apenas confiassem e continuassem. Assim como Lilibella, com passos firmes e decididos, sem olhar para trás.

A moradora do alto do céu

Depois que se despediram de Até Então, Íris e Bonsenhor seguiram caminhando e foram parar em lugar nenhum. Em pouco tempo, estavam envolvidos num branco total, como se tivessem entrado numa folha de sulfite ou num chumaço de algodão. Não enxergavam nada.

Não viam nem gente, nem planta, nem chão.

Não se encontravam mais na mata úmida nem dentro de um transporte motorizado ou de uma cidadezinha minúscula, mas num quadro sem desenho nem tinta alguma. Pisam em plumas imaginárias, desequilibrando-se. Neste terreno branco e macio, não sabiam se tinham caminhado por um minuto ou um século.

A cada passo, um pequeno rabisco se apresentava na frente deles, um novo traço surgia naquela tela alva e um desenho ia se formando. Depois de um bom trecho percorrido, já era possível identificar a imagem.

Era uma escada que tomava forma. Ganhava vida no horizonte límpido, sendo construída de verdade: alta, grande, de madeira maciça, pregos e dobradiças.

Presos no nada, nela subiram.

Os degraus pareciam não ter fim. Subiam, subiam, subiam. Ficavam exaustos, paravam um pouquinho e, em seguida, continuavam a subir, sem nenhuma ideia de onde iam chegar. Também sabiam que voltar não podiam.

Quando chegaram ao topo, encontraram uma moradia suspensa no ar. Um casebre que devia ter sido aconchegante um dia, mas que agora denunciava abandono. Não estava desabitado: havia gente lá.

Curiosos, avizinharam-se, até porque não tinham outra opção. Acharam por bem bater à porta, um sinal de boa educação.

Toc, toc, toc. E nada. Ninguém atendeu. Ouvia-se um chiado de alguém varrendo o chão obsessivamente. Toc, toc, toc. Quem estaria assim, de maneira tão concentrada, fazendo uma arrumação?

Com um leve toque na maçaneta, descobriram que a porta estava encostada. Seguiram entrando na ponta dos pés.

Encontraram uma senhora, um pouco idosa, que não percebeu a aproximação. Ainda de costas, tirava antigos livros das caixas e os jogava pela janela. Mas quem olhasse para baixo saberia que eles não caíam em lugar algum.

Íris, com a voz embargada de medo, arriscou um olá não ouvido ou ignorado. A velha continuava empenhada em seu trabalho.

Os visitantes nem se atreveram a chegar mais perto. Buscavam não fazer barulho para não ganharem xingamento malcriado. Sentaram-se num caixote próximo à porta. Dali poderiam sair correndo.

Quando, lançando mais um livro pela janela, a dona virou um pouco o rosto, sua visão alcançou as duas presenças inesperadas.

– Quem são vocês e o que querem comigo?

– Não queremos nada. Nem sabemos como viemos parar aqui, tentou Íris.

– Já sei que vão me fazer um monte de perguntas, seus enxeridos. Por que estou jogando todos estes livros fora? Não preciso mais deles. Estou cansada, eles me irritam. São preenchidos de histórias inúteis. De personagens sem nenhum valor. Perdem tempo todos os que leem e os que os escrevem. Uns

desocupados, é o que são. Se vivo sozinha? Vivo. Porque quero. Não gosto de ninguém me dizendo o que devo fazer. E, POR FAVOR, PAREM DE SE INTROMETER NA MINHA VIDA.

Íris e Bonsenhor não tinham perguntado absolutamente nada. Nenhuma palavra. Com o grito da mulher, ouviu-se um trovão que fez a casa toda estremecer.

– Ah, e antes que me perturbem, meu nome é Ludovina. LU-DO-VI-NA.

Com as costas encurvadas, continuou com a tarefa de atirar livros pela janela como se tentasse varrer alguma coisa de dentro dela. Íris ainda reuniu coragem e ofereceu ajuda, mas não recebeu nem que sim, nem que não.

Sentiram vontade de sair correndo, mas algo pedia que ficassem. Muitas perguntas continuavam engasgadas na garganta deles, enterrados num silêncio de prender a respiração. Íris estava intrigada com o mistério que circundava a casa.

– A senhora me permite lavar as mãos? – tentou Íris.

– Siga até o final do corredor. Última porta à direita.

Era uma passagem que parecia não ter fim, estreita e claustrofóbica. Ao lado esquerdo, existiam mais de trinta portas, uma ao lado da outra, todas trancadas. Curiosa, Íris ia mexendo em todas as maçanetas, uma a uma, mas nada. Só então descobriu que a penúltima, a de número 29, estava encostada.

Com as mãos trêmulas, foi abrindo aos poucos. Ficou aterrorizada com o que viu.

Bonsenhor, apreensivo, esperava Íris voltar, estava demorando demais. Ouviam-se uivos que saiam lá do fundo daquele infinito corredor.

– O senhor aceita um café?

– Não precisa se incomodar, respondeu Bonsenhor, ele sim, visivelmente incomodado.

– Sim, o senhor aceita. Vou prepará-lo agora, decidiu Ludovina.

Quando Íris percebeu que a dona tinha mudado de cômodo, da sala para a cozinha, voltou correndo da galeria de trinta portas. Concentrou-se em contar tudo para o amigo sem que a moradora desconfiasse de suas descobertas.

– Bon... Bon... Bon...

– Calma, Íris. Calma. Respire para falar.

– Pe... pe... pessoas. Vivas. Pe... Pe... Pessoas... Mortas. Vultos para todos os lados.

Chegou o café, anunciou Ludovina. Íris e Bonsenhor tentavam agir com naturalidade. A convite da senhora, ficaram horas desfiando assuntos desimportantes, enquanto a cabeça dos viajantes não saía das criaturas que viviam no 29. Será que existiam mais almas penadas nos outros quartos?

De repente, os zunidos chegam mais fortes. Os três ouviram.

Era um barulho tão alto que, dessa vez, era quase impossível ignorar.

– Você não pode deixar toda aquela gente presa.

– Não sei do que está falando.

Ludovina começou então a chorar – as lágrimas iam, aos poucos, ganhando volume e ritmo. Até a cor do seu rancor mudou com o pranto inesperado. Aos poucos, ela baixou a guarda até mostrar toda a sua fragilidade.

– Vocês não entendem. Eles são todos uns desalmados. Quiseram me abandonar e, antes que isso acontecesse, eu lhes dei um lar.

– Eles não são felizes.

– Aqui eles têm tudo, não podem reclamar.

Íris pegou nas mãos da Ludovina, que a seguiu. Ao chegar em frente ao quarto 29, abriu a porta, contra a vontade da moradora. Os encarcerados se agitaram e começaram a lançar insultos insultos contra ela, que, numa reviravolta, tentou empurrar Íris para dentro de suas jaulas, mas não conseguiu, faltava força física.

– Podem ir embora, gritava Ludovina.

– Ficamos aprisionados todos estes anos porque ela dizia que tinha medo de ficar sozinha, sempre fez questão de lembrar que precisava da nossa presença, explicavam os prisioneiros, num coro assustador.

– Não preciso que ninguém sinta pena de mim. Saiam já da minha casa.

Ouvindo esta conversa, Íris deduziu que eles estavam ali há muito tempo, mas já tiveram outras oportunidades de irem embora. E o que os aprisionava era aquilo que Ludovina dizia ser amor, mas que, no fundo, no fundo, chamava-se posse.

Bonsenhor chegou no quarto 29 no exato momento em que as criaturas começaram a sair. Uma a uma. Em fila, davam um beijo no rosto da moradora, passavam pela porta do quarto, seguiam no corredor e voavam pela janela da sala, a mesma onde a ela lançara seus livros. Ludovina chorava descontroladamente.

A cada adeus, o chão e as paredes sacudiam-se com a força de um terremoto. Íris e Bonsenhor agarraram-se em alguns móveis.

Quando todos os encarcerados já tinham desaparecido, o tremor começou a diminuir até cessar. A dona acalmou-se. Ao final, só soluços e cansaço. Seu semblante era de alguém que envelhecera 20 anos, assim como a casa em ruínas.

Naquela última hora, todos viveram muitos anos.

Em meio ao pó, Ludovina, ainda mais encurvada que antes, seguiu pelo corredor, do quarto 29 até a sala, e precisou ser amparada por Íris e Bonsenhor. Respiravam ácaros e cupins, insetos de todos os tipos voavam pelo ar pesado.

Num comportamento impensado, ela se sentou no chão e abriu a última gaveta de sua estante. Pegou em suas mãos uma caixa na qual guardava álbuns de fotografia. Retirou um deles, com uma capa de cetim azul, que parecia ser o mais especial.

Acomodou-se no sofá, indicando com as mãos que os visitantes fizessem o mesmo. Com muita delicadeza, como se fosse outra pessoa, começou a passar as páginas, mostrando as fotos a Íris e Bonsenhor.

– Esta sou eu menina brincando no mar. Nos meses de verão, adorava nadar com os peixes. Nunca tive irmãos. Vejam, estes são meus pais cuidando de mim com zelo. Cresci, aprendi, vi um pouco do mundo. Das belezas às desilusões. Muitos daqueles que quis bem foram-se de mim, mudaram-se para longe daqui.

Enquanto contava, Ludovina visitava suas memórias. Foi tirando materiais antigos da gaveta, recortes de jornal, diários amarelados pelo tempo, cadernos de anotações. Até Então iria gostar de conhecer a moradora do alto do céu e suas recordações, pensou Íris. Aos poucos, na medida em que despertava seu passado remoto, sentia-se livre de sua própria história.

– Gostaria de carregar comigo apenas as passagens mais doces.

Uma ventania levou para fora o último livro que sobrara. De tão idosa, não conseguia aguentar o próprio corpo, mas usou suas poucas forças para subir numa cadeira e sentar-se na janela.

Bonsenhor deu um grito exasperado e Íris correu até ela para impedir o pior. Não deu tempo. Assim que se lançou no nada, só conseguiram acompanhar com os olhos o voo alto e rápido do pássaro amarelo.

Íris, olhando para aquele céu revirado, chorava e tentava entender para onde a moradora, habitante de tantos sentimentos, teria ido, para onde havia partido. Por um breve instante, pensou se poderia existir para nós, humanos, uma nova chance. Se, numa próxima vez, Ludovina poderia ser a personagem de uma outra fábula.

Só então Íris se deu conta de que aqueles livros, jogados pela moradora do alto do céu, foram lidos durante a sua vida e, de alguma forma, contavam sua história. Lançá-los pela janela era uma maneira de se livrar dos seus erros e culpa, sobretudo por ter aprisionado aqueles a quem tanto amou. O efeito era contrário. Quanto mais tentava ter a posse das pessoas, mais sozinha se sentia.

Agora, Ludovina, seus livros e amores pertenciam ao grande e misterioso universo.

Bonsenhor, ainda em estado de choque, não sabia o que dizer nem o que pensar.

Nesse momento, um relâmpago repentino e seco pôde ser ouvido lá fora. Precipitava a tempestade que duraria até o amanhecer do outro dia. Todas as trinta portas do corredor abriram-se sozinhas e trepidavam.

Durante esse tempo, sem comer nem dormir, Íris e Bonsenhor se seguravam nos móveis, que balançavam com brutalidade. Quando a madrugada chegou ao fim, a casa desabou e eles caíram de lá.

Chega o momento menos esperado

Conforme despencavam do céu, a tempestade se desfazia, até que tombaram num chão duro, seco e cheio de poeira, num lugar inóspito, um velho faroeste, uma terra de ninguém. Sem gente nenhuma, apenas poucas casas abandonadas, plantações mortas e carros velhos aos pedaços, vestígios de tempos mortos.

Um cenário deserto, desolado e desolador.

Não conseguiam entender como sobreviveram à queda. E, como sempre faziam quando não tinham mais forças, buscaram um lugar para descansar. Sem sombras, nem tetos, nem árvores e nem automóveis. Sem ninguém para ampará-los.

Dos escombros jogados nas esquinas das ruas, encontram jornais antigos, tão desbotados que não podiam ler nenhuma frase sequer. Sem saber o que estava mais sujo, se os papéis ou se o chão, estenderam as folhas na terra inflexível.

Exausta, Íris deita-se e dorme, enquanto Bonsenhor observa o abandono.

Sem pedir permissão, começou a cair do céu uma garoa fininha, bem diferente da água violenta que os derrubou naquele rincão.

Como se tivesse sido enfeitiçada, Íris não acorda, nem com a água, nem com o vento, nem com o trovão. Pelo contrário, parece experimentar um sono profundo de quem foi convidada pelos anjos amigos da irmã a participar da brincadeira.

Bonsenhor, acordado, não se incomoda com a mudança brusca e improvável do tempo, apenas acompanha os desenhos que a água rabisca no ar e no chão. Íris, então, tem um novo sonho com Eugênia. No topo da mesma montanha, mostra a palma de suas mãos para a amiga e, olhando bem em seus olhos, anuncia:

– A direita para dar, a esquerda para receber. A partir de agora, serei eu mesma a minha proteção.

No mesmo momento, ainda com Íris num sono profundo, Bonsenhor percebe que ela não dorme mais de mãos fechadas.

No tempo dos relógios, meia hora já tinha se passado quando a chuva resolveu ir embora, vagarosa. Assim que caiu a última gotinha lá do céu, ela despertou.

Acordou cheia de pressentimentos, como no dia seguinte em que ela conheceu sua amiga cigana. Porém, já não sentia o calor dourado de uma manhã de verão, nem os ventos fresquinhos do outono. As estações do ano se confundiam naquele momento em que o tempo parou. E o coração apertava aos poucos.

Levantou-se calada, pois assunto não tinha. O silêncio absoluto se estabeleceu como um novo personagem que chega na história. Não existia no mundo mais palavras para falar. Íris queria saber: o que vem agora?

Não vinha nada. Só o som de um trem muito distante que se aproximava, que parecia se avizinhar no bairro ao lado, separado por um monte enorme. O som do apito e das chaminés conversava com dolorosos sentimentos. Íris e Bonsenhor já sabiam que, naquela maria-fumaça, algum deles teria de partir.

O tempo, que não aceita negociação, foi passando até o trem chegar. E a cidade perdida transformou-se numa estação.

Enquanto o maquinista fazia esforço de frear, Íris e Bonsenhor permaneciam calados, sentados no chão, um ao lado do outro. A parada da máquina tratou de agravar a situação, pois não perturbava mais o ar e os ouvidos com seus ferros e vapores, já não unia mais dois bons amigos na linha de um destino único.

– Quem deve ir? Eu ou você?

– Sou eu, minha menina.

Os dois se abraçam pela primeira e última vez.

Bonsenhor levantou-se devagar. Íris permaneceu ali sentada, revisitando antigas e conhecidas moradas, acostumada a estar perdida ou sempre sozinha.

Sem conselhos nem acenos. Sem virar para trás, Bonsenhor caminhou em direção ao trem em passos nem lentos nem apressados. A locomotiva já estava com suas portas abertas e o sinal de partida próximo do horário de soar. Se o tempo se mostrou algumas vezes generoso até aquele momento, agora se apresentava mais rigoroso do que nunca.

Íris chorava por dentro querendo que fosse um sonho longo, daqueles que se apagam da memória logo ao acordar.

Quando este pensamento passou por ela, Bonsenhor já havia se acomodado dentro do trem, que não levava mais ninguém. Eles se olharam pela última vez. Só então ela levou um susto, pois viu que ele tinha, sim, um rosto. E muito conhecido. Durante toda esta jornada, esteve acompanhada de seu avô, seu antigo conselheiro e protetor que desapareceu do mundo quando ela era uma criança pequena. Uma lembrança borrada pela distância do tempo, mas preenchida de muito afeto.

Enquanto acompanhava o trem partir, Íris chorou, feliz por ter convivido um pouco com seu anjo pessoal, por ter recebido este tempo estendido que eles não tiveram em sua infância. Só então entendeu por que seu rosto nunca podia ser visto – só assim ele cumpriria o seu intuito de deixar Íris atuar livremente no campo da vida, enfrentar por ela própria seus desafios. Um mestre de verdade, que dava poucos conselhos e evitava intervir. Diante de suas angústias e dúvidas, Íris deveria, sozinha, conhecer o seu poder e criar os próprios caminhos. Era dela a missão de descobrir que ela é única no mundo. Era isso o que ele queria e no que acreditava.

Antes do fim, o amor de um único dia

O barulho da locomotiva foi se esvaindo até o silêncio total e aterrador. Um silêncio que chegou junto com um novo tipo de solidão, muito diferente daquele que a acompanhara a vida inteira.

Íris estava completamente perdida, sem saber o que fazer. Por mais óbvio que parecesse, nunca pensou no fim, na despedida de Bonsenhor, seu discreto companheiro de jornada, seu fiel escudeiro, seu amigo e protetor. Seu avô. Não sabia como seria a próxima estação sem ele, mas sabia que precisava ser assim.

Faz o que aprendeu a fazer: colocar-se em movimento. Em suas fantásticas experiências, entendeu que é sempre o próximo passo, e só ele, é capaz de construir um esboço das respostas que todo mundo procura.

Ainda que dominada pela confusão e pelo cansaço, o próprio corpo pedia o recomeço. E ela só obedecia, mesmo sabendo que, em poucas horas, enfrentaria sozinha os obstáculos da fome e do medo.

Começou a andar ali mesmo, naquela cidade cheia de vestígios de uma vida de outro tempo. Podia imaginar os esqueletos que poderiam existir debaixo daquela terra. Enquanto olhava as casas abandonadas, apenas caminhava. Quando uma dessas moradias chamava sua atenção, nela entrava. Panelas pelo chão, camas desarrumadas, velhos fogões de lenha, papéis de jornal queimados. Diante de tanta informação, não sabia se os habitantes estiveram ali na semana ou no século passado, se foram dizimados por uma guerra violenta ou pela rigidez da natureza.

Ainda que o próximo passo sempre trouxesse alguma resposta, o porvir desconhecido continuava a assombrar. Ainda que já tivesse passado por isso várias vezes nessa jornada, era como se fosse sempre a primeira. Mas ela sabe que é preciso voltar, que a história ao final uma hora há de chegar.

Continua sua andança até sentir que saiu da cidade abandonada. Seus pés pisam agora numa estrada por onde já passou. Na sua mochila, carrega os presentes que recebeu dos amigos: o pêndulo de Eugênia e as pedras de Casimiro.

Mesmo sozinha, pouco a pouco, Íris sente-se mais leve que na vinda. Quando o cansaço bate forte, aparecem alguns anjos que a fazem flutuar. Quando volta para a estrada, caminha devagar, acelera, escolhe sua própria dança, num ritmo que é só seu, pisadas vagarosas de quem não espera nem acompanha mais ninguém.

O trajeto da ida é também o da volta. Quando precisa, para em alguma comunidade e pede abrigo, ajudando famílias em afazeres domésticos em troca de uma refeição. Reestabelecida, segue.

Em um desses povoados, conheceu Vagamundo.

Um rapaz sentado numa velha cadeira de madeira de uma casinha de barro na beira da estrada e que, ao encontrá-la, devorava vorazmente um prato de arroz com feijão. Morava no casebre com os pais camponeses e uma irmã mais nova.

Só quando chegou muito perto Íris percebeu que ele deveria ter uns 17 anos e uma beleza jamais vista em outro ser humano. Traços perfeitos desenhavam seu rosto, numa pele macia e bronzeada – de tão bonito, ela não conseguia encará-lo. Tinha uma camiseta surrada e cabelos longos, muito pretos, que cobriam a nuca. E um chapeuzinho cheio de remendos e cores que parecia ter sido fabricado por ele próprio. Seus braços eram preenchidos de tatuagens, rostos, flores, símbolos e frases – tudo o que vivo segue gravado em mim, por dentro e por fora. Mas ele nunca revela para ninguém o significado delas: cada uma traz um segredo.

Durante uma tarde inteira até o começo do anoitecer, ficam na companhia um do outro.

Vagamundo conta que, enquanto os pais trabalham na lavoura, ele cuida da irmã. Todas as manhãs, pega a caçula e vai para a comunidade tocar flauta e escrever poesia em troca de algum dinheiro. Nas redondezas, é conhecido como marginal. Já Íris fala sobre sua busca por respostas exatas e revela sua saudade da infância.

– Crianças seremos sempre, Íris, pois olhamos o mundo com vontade.

Íris conta as suas e ouve as histórias de Vagamundo com encantamento e estranhamento ao mesmo tempo. Não sabia distinguir as mentiras das verdades – de todo modo, chega a pensar que Eugênia iria adorar conhecê-lo.

Antes de anoitecer, ela precisa voltar para a estrada.

Choram e se abraçam, enquanto Íris sente o cheiro e o calor do rosto do moço de beleza única e experimenta sensações desconhecidas, que despertam e fazem vibrar cada parte do seu corpo. Olham um para o outro, atordoados pelo sentimento tão bom e tão novo que precisará ser interrompido de repente. Ficam de mãos dadas, tão forte, mas tão forte, que parece que, de alguma forma, nunca mais irão soltá-las. Até que seus lábios se aproximam para um longo e afetuoso beijo, o primeiro de sua vida, que provoca a revolução que nunca mais deixará de existir dentro dela.

Pergunta-se se um dia poderá vê-lo de novo, que amor é presente que não se nega para ninguém. Olha para Vagamundo, registrando-o em suas retinas e sua memória, com medo de um dia dele se esquecer. Ela sabia que, quando as chances de sua vida chegassem feito brisa, lá ele estaria.

Íris retorna para casa

Carregando saudades, Íris segue na mesma estrada do começo de sua aventura. Também sente um novo tipo de solidão, que agora nem gente pode preencher. Sabe que, se existisse uma heroína nessa história, deveria ser ela própria.

Revê as mesmas gentes e realidades da ida e percebe que nada mudaram, apenas cresceram as plantações no campo e as agitações nas cidades. As crianças continuam nadando em lagos e empinando pipas, cheias de lama até o chamado das mães. Bebês nascem por todas as partes, com seus olhos muito abertos, curiosos para entenderem que mundo é este. Já os mais velhos, agradecidos pela jornada percorrida, confraternizam com seus parceiros, ocupando praças, revisando memórias e fazendo valer cada minuto de alegria e saúde. Em lugares de plantio, caboclos lavoram a terra no mesmo instante em que a andarilha retorna.

Íris deixa o ar gelado do mundo abrir seus pulmões. Deixa a coragem abrir suas mãos. Passa a experimentar todos os anos de sua vida, os passados e futuros, recebendo os presentes de um único dia.

Chega a ver o caminhão de Casimiro passar correndo numa rodovia. Ele não pode parar, pois está em alta velocidade, mas buzina e acena cheio de carinho. Chega a pensar: por onde andará Magnólia? Cruza com Lilibella e Até Então de mãos dadas, numa praia paradisíaca, numa cumplicidade que só os casais conseguem explicar. Não carregam nenhuma tralha, nenhum peso. As lembranças do passado e os planos futuros seguem leves e acomodados no agora. Vê um pássaro amarelo voar livremente, brincando com as outras aves do céu, e sorri para Ludovina. Deseja com toda sua força topar com Eugênia, mas dela só encontrou saudade. "Cada um que passou por mim trouxe notícias de quem sou", pensava Íris, lembrando do que lhe contou seu Padrinho.

Distraída com suas lembranças, Íris se dá conta de que havia perdido o presente da amiga cigana. Procurou na mochila, mas já não estava mais com ela. Jamais saberia que esqueceu o pêndulo na casa de Vagamundo. E que ele consertaria a corrente de prata quebrada e a colocaria em seu pescoço todos os dias, sem tirar nem para comer nem para dormir, lembrando para sempre da tarde mais bonita da sua vida.

Ainda assim, Íris segue sua viagem. Atravessa um campo, passa por túneis e explora cavernas. Desce ladeiras íngremes e percorre escuras vielas. Chega a vales onde lobos correm soltos e por eles consegue passar. As noites de lua cheia são melhores porque iluminam onde pisa.

Em seu retorno, conclui que não existem pessoas más nem pessoas boas – que cada um vive a seu modo e no seu tempo. Percebe que nem sempre as respostas exatas existiam ou chegariam: nem cientistas e nem doutores, em suas descobertas e buscas pela cura, conseguem alcançar a verdade absoluta. E que é justamente este mistério que nos faz querer caminhar todos os dias. E que ela, Íris, confiasse na sabedoria do tempo e nas razões do invisível, que só eles poderiam chacoalhar e acomodar as angústias, medos e sofrimentos de todos os passageiros do mundo.

De tanta exaustão, Íris achava que aquela caminhada não teria mais fim. Mesmo muito perto de sua casa, sentia que ainda estava longe, como se o corpo andasse na frente da alma. Quando tinha essa impressão, concentrava-se na paisagem ou olhava para os pés para contar seus passos. Assim chegaria mais rápido.

Em sua volta peregrina, ela já não consegue mais lembrar o nome da professora, nem o que a mãe costuma fazer para o jantar. Talvez, a esta altura, a colcha de renda já esteja costurada. Talvez o quarto já não tenha tantas baratinhas.

É madrugada, quase dia.

Assim que entra em seu bairro, percebe que ali também nada mudou. Passa pelas ruas pelas quais faz o trajeto da escola, todos os dias. Conhece cada casinha, cada família. Um mundo sempre estável e conhecido.

Finalmente chega à sua rua. Pensa que, daqui a pouco, a vizinhança irá despertar. Crianças brincando, adultos em direção ao trabalho. Cumprimentos de bom dia e, um pouco mais tarde, cheiro de comida. Movimentos cotidianos.

Quando chega em sua casa, parece não a reconhecer mais. Aquele que, desde que nasceu, sempre foi o seu lugar. É como se nunca tivesse vivido ali, mas tudo estava do mesmo jeito. O portão com a tinta descascada, o muro que separa a casa vizinha, as duas bicicletinhas no quintal. Nada mais lhe parece familiar.

Ainda no espaço externo, abre o portão e sobe as escadas, degrau por degrau, como quem invade um território que não lhe pertence. Respira e pensa duas vezes antes de entrar na casa, pela porta da sala, como era seu hábito.

Antes, decide subir os muitos lances de outras escadas, as que conduzem ao telhado. Chegando lá, tem a sensação de estar dentro de seu sonho com Eugênia. Abre os braços enquanto olha para o horizonte, desta vez real e muito conhecido. Sente uma coragem sem tamanho e que nasce naturalmente dentro dela.

Pensa que o melhor mundo é o mundo possível, construído a cada dia, com vontade. O agora seria da cor que ela quisesse, da forma que bem entendesse.

Depois de alguns minutos, ouve os primeiros ruídos do acordar da sua família. Foi assim que se lembrou que prometeu ajudar o pai a construir um brinquedo de madeira para a irmã.

Assim que desce do telhado e entra pela porta da sala, sente o mesmo cheiro que tem a casa da gente, que nunca muda. A existência segue intacta, sem alterações, aos modos e temperamento de seus moradores. Mas ela, Íris, já não é a mesma.

HUDSON MOTTA

Renata Bortoleto nasceu em São Paulo, em 1979. É escritora e atriz, encantada desde a infância por histórias e pelas artes em geral. A paixão pela escrita e a vontade de mudar o mundo a levaram para o jornalismo, enquanto a de se expressar e de tocar a alma das pessoas mostrou a ela o caminho do teatro. Já foi repórter, trabalhou em empresas, montou a própria, elaborou peças teatrais e atuou em outras, sempre com o desejo de encontrar respostas para suas inquietações. Leva uma vida agitada, equilibrando-se entre realizar os seus projetos e acompanhar o crescimento da pequena Maria. Criou a história de Íris para imaginar o que existe nos mundos invisíveis, aqueles que moram dentro e fora de nós, e o que podemos aprender com eles. Este é seu primeiro trabalho na literatura infantojuvenil, uma homenagem à menina que foi, que ouvia vozes e passos no corredor – ela ainda existe e, com sua imaginação, adora navegar por outras dimensões. É também uma forma de reverência e gratidão a seus ancestrais, aqueles que vieram antes, os desbravadores dessa magnífica jornada.

Lais Oliveira nasceu em São Paulo, 1995. Sempre teve uma mente agitada, cheia de personagens e mundos, e foi na arte que descobriu como trazer toda essa imaginação para o mundo tátil. Cursou Animação na instituição Belas Artes, onde se apaixonou ainda mais por desenvolvimento visual, de personagens e *story telling*. Teve a oportunidade de desenvolver um curta trabalhado na técnica de *stop motion* e de desenvolver uma história em quadrinhos, com a premissa feita em animação 3D. Trabalhou em dois outros projetos de animação, sendo um deles vencedor do concurso Itamaraty para Curta-Metragem Brasileiro. Ainda que seus maiores projetos tenham sido animações, suas maiores inspirações são as artes e desenvolvimentos que precedem as telas. A arte que faz com que as pessoas criem animações em suas próprias mentes. Em seu trabalho com artes visuais, procura inspirar o público e levá-lo a refletir.

Este livro foi composto
em Stone Sans e em
Active. Impresso em papel
Ningbo 300 g/m² (capa)
e papel Couché Matte
150 g/m² (miolo).